SOIS

RESSENS

PENSE

AGIS

Catalogage avant publication de Bibliothèque et Archives nationales du Québec et Bibliothèque et Archives Canada

Bérubé, Anne, 1978-

    [Be feel think do. Français]
    Sois, ressens, pense, agis
    Traduction de : Be feel think do.
    ISBN 978-2-89436-976-0 (couverture souple)

    1. Réalisation de soi. 2. Vie spirituelle. 3. Morale pratique. 4. Bérubé, Anne, 1978- . I. Titre.
II. Titre Be feel think do. Français.
    BJ1470.B4714 2017   158.1   C2017-941389-9

Avec la participation financière du gouvernement du Canada. (LOGO)

Nous remercions la Société de développement des entreprises culturelles du Québec (SODEC) pour son appui à notre programme de publication.

Gouvernement du Québec – Programme de crédit d'impôt pour l'édition de livres – Gestion SODEC.

© 2017 by Anne Bérubé . Publié originalement par la maison d'éditions Hay House sous le titre *Be Feel Think Do.*

Traduction : Sylvie Fortier
Infographie de la couverture : Marjorie Patry
Mise en pages : Josée Larrivée
Correction d'épreuves : Michèle Blais

Éditeur :   Les Éditions Le Dauphin Blanc inc.
            Complexe Lebourgneuf, bureau 125
            825, boulevard Lebourgneuf
            Québec (Québec) G2J 0B9 CANADA
            Tél. : 418 845-4045   Téléc. : 418 845-1933
            Courriel : info@dauphinblanc.com
            Site web : www.dauphinblanc.com

ISBN version papier : 978-2-89436-976-0

Dépôt légal :   4ᵉ trimestre 2017
                Bibliothèque nationale du Québec
                Bibliothèque et Archives Canada
Données de catalogage disponibles auprès de Bibliothèque et Archives nationales du Québec.

Imprimé au Canada

Limites de responsabilité
L'auteure, la traductrice et la maison d'édition ne revendiquent ni ne garantissent l'exactitude, le caractère applicable et approprié ou l'exhaustivité du contenu de ce programme. Elles déclinent toute responsabilité, expresse ou implicite, quelle qu'elle soit.

Éloges pour *Sois, Ressens, Pense, Agis*

« *Sois, Ressens, Pense, Agis* combine avec art un récit personnel et des révélations poignantes alors qu'Anne guide son lecteur jusqu'à la source éternelle du bonheur qui est notre état naturel. »

— Deepak Chopra

« Un beau livre qui raconte ce qui se passe quand votre âme vous éveille à qui vous êtes réellement, quand vous suivez votre cœur et apprenez à vous fier à la folle certitude intérieure de découvrir une vie dépassant ce que vous pensiez possible. Parmi tant d'ouvrages spirituels de croissance personnelle, Anne Bérubé a rédigé des mémoires qui méritent vraiment d'être lus. »

— Colette Baron-Reid, auteure à succès inspirante de *Uncharted*, oracle spécialisée, personnalité de la télé, animatrice à la radio et beaucoup plus

ANNE BÉRUBÉ, Ph. D.

Préface d'**Anita Moorjani**

SOIS

❧

RESSENS

❧

PENSE

❧

AGIS

Traduit de l'anglais par Sylvie Fortier

Le Dauphin Blanc

À la mémoire de Wayne Dyer

« Il va se passer de belles choses. »

———❦———

À Olivier et Hanalei, mon Bouddha et ma Pélé

À Paul, mon âme sœur, ma moitié[1]

À mon père, mon plus grand admirateur

À ma mère, mon plus grand maître

I.   En français dans le texte.

TABLE DES MATIÈRES

AVANT-PROPOS

J'ai été profondément émue par le contenu de ce livre que vous tenez entre vos mains et encore plus par mon amitié personnelle avec Anne Bérubé.

Anne est entrée dans ma vie à la suite d'une série d'évènements synchrones en raison de notre relation avec le grand et regretté docteur Wayne Dyer.

Certains parmi vous connaissent peut-être mon récit relatant mon combat contre un cancer en phase terminale qui m'a amenée aux portes de la mort et au-delà. Heureusement, j'ai survécu et continué de vivre pour raconter l'histoire de mon séjour dans l'autre dimension. Wayne Dyer a découvert mon histoire et m'a présentée à son vaste auditoire. En voyageant à travers le monde et en partageant la scène avec lui, j'ai eu le privilège de rencontrer Anne et son mari Paul, que Wayne considérait comme des amis intimes, presque comme de la famille, en fait.

Anne et Paul étaient tous deux souvent présents dans l'auditoire lors de ces évènements et notre amitié a grandi au fil du temps. Mais le lien a été scellé par un évènement tragique : le décès de notre cher ami commun, Wayne. Anne et moi avions toutes deux été touchées chacune à notre manière et nous sentions encore toutes deux sa présence et sa guidance.

Un jour, peu de temps après le décès de Wayne, Anne et Paul ont coordonné pour moi une tournée de conférences au

Canada. C'était quelque chose qu'ils avaient l'habitude de faire pour Wayne. Quand je pars en tournée, je suis généralement accompagnée d'une assistante. C'est quelqu'un qui connaît tous les détails de mon horaire et de mes rendez-vous pour la durée du voyage, de façon à me piloter tandis que je me concentre sur ma présentation. Cette fois, mon assistante attitrée avait été forcée de s'absenter pour une opération chirurgicale d'urgence (qui ne menaçait pas sa vie) et ne pouvait pas m'accompagner ; par ailleurs, il ne restait plus assez de temps pour trouver quelqu'un pour la remplacer – surtout quelqu'un qui pourrait se familiariser avec la logistique que le voyage impliquerait. Anxieuse à l'idée d'essayer d'assimiler tous les détails de la tournée à venir sans aide (un domaine où je ne suis pas particulièrement douée pour retenir les choses), je me sentais un peu perdue et inquiète en me demandant comment j'allais m'organiser.

Quelques jours avant que je quitte la maison, toutefois, j'ai reçu un coup de fil d'Anne. Ayant en quelque sorte perçu mon incertitude et mon désespoir, elle m'a dit : « Je vais vous accompagner, Anita ! Je peux m'occuper du suivi de vos vols, de vos hôtels et de tout le reste de votre itinéraire. Je l'ai fait pour Deepak Chopra ; je l'ai fait pour Wayne. Ne vous en faites pas. Je vous accompagne du début à la fin de votre tournée canadienne ! » Le soulagement que j'ai ressenti en raccrochant le téléphone était palpable et je me suis sentie libérée d'un grand poids !

Nous sommes donc parties deux semaines en tournée à travers le Canada à partir d'Halifax, la ville natale d'Anne. Dès la minute où elle m'a accueillie à l'aéroport d'Halifax, notre lien a été immédiat et nous nous sommes retrouvées à parler de tout et de rien, de nos rêves à nos espoirs et à nos souhaits les plus chers en passant par où nous en étions à ce moment dans nos vies. Nous avons aussi parlé de notre cher ami Wayne et de son départ si soudain. Une chose est devenue claire durant notre échange : nous avons senti que Wayne avait en quelque sorte orchestré cet évènement d'au-delà du voile. Il avait fait en sorte que nous passions ce moment ensemble pour apprendre à nous connaître et à sceller notre amitié.

C'est lors de ce voyage qu'Anne m'a confié qu'elle était en train d'écrire le livre que vous lisez en ce moment. Wayne l'avait encouragée à coucher son cheminement par écrit, tout comme il m'avait encouragée à le faire. En bavardant, nous avons toutes deux ressenti de la tristesse parce qu'il n'était plus ici dans le monde physique pour voir le travail d'Anne terminé, mais nous étions confiantes qu'il était toujours là à veiller sur nous de l'autre côté du voile. Il était probablement joyeux, souriant à l'idée qu'Anne avait pris son conseil à cœur et écrivait un livre sur sa vie !

Dans la première partie de ce beau livre, vous apprendrez à connaître Anne puisqu'elle partage l'histoire de sa vie avec une candeur hors du commun. Ce que j'aime d'Anne est qu'elle ne se retient pas de partager en toute vulnérabilité qui elle est vraiment. Dans ces pages, vous apprendrez donc à connaître une femme à la fois brave et sensible et vous apprendrez aussi à connaître sa charmante famille.

Dans la seconde partie du livre, Anne partage toute la sagesse qu'elle a tirée des épreuves de sa vie et donne des conseils pratiques pour son application. Elle les analyse pour les rendre accessibles et faciles à comprendre.

Si Wayne était en vie, je suis certaine que c'est lui qui aurait écrit l'avant-propos de ce beau livre. Je suis honorée de le faire en son nom et de jouer ce petit rôle pour contribuer à faire connaître ce récit au monde. Je vous demande de le savourer et de savourer autant que moi de faire la connaissance d'Anne à travers ses mots.

Avec amour,
Anita Moorjani

INTRODUCTION

L a graine de ce livre a été semée au printemps 2001 et comme
toutes les bonnes histoires d'amour, celle-ci commence par
la sensation d'avoir été heurtée par un camion d'une demi-tonne.
Ici, toutefois, je parle littéralement.

En 2008, j'étais en bonne voie de devenir professeure à
l'université, avec un doctorat en littérature française. Je passais
mon temps le nez dans les livres à appliquer la théorie littéraire
universitaire à des textes contemporains. Tandis que je me
préparais à défendre ma thèse, je me suis aperçue qu'en cours de
route, j'étais devenue beaucoup plus intéressée par les personnages
et les auteurs que par les théories littéraires que j'étais censée
appliquer. J'aspirais profondément à comprendre leur humanité et
les forces qui les poussaient à faire les choix qu'ils faisaient en
même temps qu'ils imaginaient leurs histoires. Je m'intéressais
surtout à ce qui leur apportait du sens et de la joie.

J'avais toujours rêvé de devenir professeure de littérature
mais j'étais tombée follement amoureuse du cœur créatif de
l'humain. J'étais devenue fascinée par l'âme et ses secrets et je
ne pouvais plus revenir en arrière. Je voulais comprendre tout ce
que je pouvais comprendre sur les êtres humains : ce qui nous
inspire à créer ; pourquoi nous prenons les choses tellement à
cœur ; comment nous affrontons les changements et les périodes
difficiles ; et surtout, qu'est-ce qui nous apporte un sentiment
de paix intérieure, de satisfaction et de bonheur. Mes intérêts
académiques furent donc repoussés à l'arrière-plan par cette

quête et ces sujets de fascination allaient devenir le moteur du présent livre.

Quiconque a fait du travail de transformation personnelle et d'exploration profonde sait que le processus peut être chaotique. Des années de lutte, d'éclairs de révélation, de souffrances, de guérisons, de transformation radicale et de chagrin ont abouti à une compréhension profonde. À mesure que je passais au crible les multiples couches de croyances conditionnées auxquelles je m'accrochais étroitement sur la vie, moi et les autres, j'ai commencé petit à petit à m'abandonner à un processus de déconstruction et de «devenir». J'ai vu qu'une progression se dessinait : une façon de vivre qui avait du sens et favorisait une vie profondément spirituelle, une vie à laquelle j'avais aspiré d'aussi loin que je me souvenais.

Cette progression a favorisé l'émergence d'une spiritualité qui était non seulement intellectuelle ou ésotérique, mais incarnée jusqu'à la moelle et intégrée à mon être tout entier comme à tous les aspects de ma vie : famille, relations, carrière, passions. Cette façon de vivre était incroyablement lucide et compatissante, ancrée et illuminée. Elle exigeait de *ressentir* infiniment plus qu'avant et nécessitait beaucoup de silence intérieur, ce que j'appelle *être*.

Comme la plupart des gens, j'étais habituée à vivre seulement dans ma tête et à partir de ma tête, à réagir par habitude, à avancer mécaniquement sans jamais m'arrêter pour vraiment me poser la question *pourquoi ?* Pourquoi est-ce que je faisais telle chose et que j'effectuais tel choix ? La plus grande partie de mon énergie et de mon attention passait à réfléchir à ce que je devrais faire plus tard à partir de ce qui s'était passé avant. Il y avait à peine de la place pour les sentiments et les choses de l'âme. Je suivais cette progression : *Agis, Pense, Ressens, Sois.*

En cours de route, à mesure que de nouvelles informations m'étaient présentées et que je plongeais en profondeur dans le champ intérieur de mon corps, j'ai commencé à me permettre d'*être* et de *ressentir* davantage et, finalement, je me suis permis d'en faire une priorité quotidienne. La progression suivante a alors émergé naturellement : *Sois, Ressens, Pense, Agis*. Cette petite modification à l'ordre qui présidait à ma vie a tout changé.

Voilà comment j'en suis venue à découvrir *Sois, Ressens, Pense, Agis* et pourquoi je veux partager mon cheminement et mes prises de conscience avec vous. Ce processus a fait entrer dans ma vie une nouvelle dimension mystique, plus vaste, une dimension que je n'aurais jamais pu prévoir, et je sais qu'il peut en être de même pour vous.

Exactement comme une plante se tourne vers la lumière et en a besoin pour vivre, notre attention lorsque nous nous tournons vers *être* – vers notre âme – nourrit et égaie notre existence quotidienne. Ceci est mon histoire. Je souhaite qu'elle trouve un écho en vous et vous aide à vous rappeler qui vous êtes vraiment.

ÂME[1]
(nom)
[am]

1. *Principe spirituel de l'être humain, conçu comme séparable du corps, immortel et jugé par Dieu.*

2. *Un des deux principes composant l'être humain, principe de la sensibilité et de la pensée.*

3. *Principe de la vie morale, conscience morale.*

4. *Ensemble des fonctions psychiques et des états de conscience.*

PREMIÈRE PARTIE

AGIS

PENSE

RESSENS

SOIS

SE SOUVENIR DE L'ÂME

CHAPITRE 1

Le temps s'est presque arrêté

———◦◦◦———

Assourdissant, tonitruant, chamboulant. Ensuite, le noir total. Juste le noir. Des minutes s'écoulent, des secondes peut-être, c'est difficile à dire. Quand j'ouvre les yeux, je me rends compte que mes poumons ne fonctionnent pas et je panique. Puis c'est de nouveau le noir total et lorsque j'ouvre les yeux cette fois, je vois le visage de Mike par la fenêtre côté passager, dont la vitre s'est émiettée partout sur mon corps. Ses yeux expriment le choc et il essaie frénétiquement de me sortir de la voiture par la fenêtre tandis que des inconnus derrière lui essaient de l'éloigner de moi en lui disant de ne pas me déplacer. Il me tient le bras comme dans un étau.

Puis encore une fois, le noir total.

L'expérience d'avoir le corps aussi violemment secoué est surréaliste et difficile à expliquer. Le temps s'arrête ou, du moins, ralentit considérablement.

Il a fallu plusieurs minutes à ma conscience pour se rendre compte de ce qui se passait.

C'est dans l'obscurité de l'inconscience que je la vois. Ma vie. Mon choix. Elle se déroule dans mon imagination comme un film. Claire comme le jour. Je sais que c'est ma vie que j'observe. Mais ce n'est pas celle que je vis en ce moment. Je me vois aimer profondément et je vois beaucoup de gens qui m'aiment profondément. Je me vois écrire et enseigner. Je suis exubérante. Je suis émerveillée comme une enfant. Je suis joyeuse et en paix. Je suis intrépide et je suis lucide. Je me vois faire du surf avec Paul, avoir des enfants avec Paul. Je vois une vie pleine d'aventure et de sens. Je vois ce qu'on ressent à aimer sans conditions. Mais surtout, je *ressens* tout cela. Je vis en moi ce que cela fait que de vivre cette vie. Je suis reliée à tout et à tout le monde autour. Je suis cette réalité. Devant cette vision, je suis envahie par un irrésistible sentiment d'amour qui inonde tout mon corps. C'est le sentiment le plus étonnant que j'ai ressenti de ma vie. Dans la vision, je me remémore l'intimité des sentiments que j'ai vécus l'été précédent et je *sais* que l'expérience revient me chercher, revient pour me ramener à la maison.

CHAPITRE 2

Changer d'air

~~~

Tout s'est mis à changer quand j'ai fait la connaissance de Paul.

Mais avant que je vous parle de Paul, laissez-moi planter le décor. C'était le printemps 2000. J'avais 22 ans et je vivais à Halifax, en Nouvelle-Écosse, avec mon petit ami de longue date. Mike et moi nous étions rencontrés durant la troisième et dernière année du cours de photographie que je suivais dans un collège de Montréal à l'âge de 19 ans. Je venais juste de passer trois années amusantes et fofolles à vivre seule dans la grande ville ; je terminais mes études et je sentais la pression de ne pas savoir quoi faire ensuite. J'étais plus perdue que jamais. J'avais quitté ma ville natale pour échapper à mon identité de lycéenne et me réinventer. Mais trois ans plus tard, je cherchais toujours.

J'étais dans un piètre état la première fois que Mike et moi avons bavardé. Je fumais une cigarette et je buvais un café à l'extérieur du campus, vêtue d'un short informe et d'une chemise avachie qui appartenait à mon petit ami, lequel était bassiste dans un groupe punk. Mes cheveux ressemblaient à un nid de frisettes à cause des nattes bien serrées que je m'étais faites pour assister à un spectacle la veille. Pour des raisons inconnues, Mike s'est approché de moi et a engagé la conversation. Il portait une chemise impeccable et un veston à manches de cuir, orné du blason de notre école. Il étudiait en première année d'architecture et semblait avoir compris la vie. Nous étions totalement différents mais sa personnalité m'a attirée. Il était incroyablement intelligent, plein d'assurance et il savait depuis longtemps qui il était et où il s'en allait dans la vie. Comme je tournais en rond, je l'ai vu comme un refuge, une ancre. Il me procurait un sentiment de sécurité à une époque où je me sentais passablement déboussolée et désillusionnée face à ma vie. Après avoir longtemps endossé différentes identités, le rôle d'étudiante sérieuse et de petite amie dévouée me semblait agréablement stable. Évidemment, il fallait une nouvelle garde-robe.

Même si nous étions francophones, Mike a suggéré que nous fréquentions une université en dehors de la province, au Canada anglais, ce qui m'est apparu comme un plan intelligent. Comme j'ai grandi en milieu rural au Québec, je ne me souviens même pas d'avoir entendu le mot *université* avant d'avoir été adolescente depuis déjà un moment. Et même là, c'était un concept étranger. Personne dans ma famille n'avait poursuivi ses études au baccalauréat, encore moins au doctorat. Aussi, lorsque Mike m'a gagnée à son idée en me racontant des anecdotes sur son prestigieux frère aîné, professeur accompli en Angleterre, j'ai eu l'impression qu'un tout nouveau monde s'ouvrait devant moi. Je me suis accrochée à cette bouée le plus fort possible même si je commençais déjà à avoir des doutes à propos de notre relation.

J'avais du mal à me trouver dans cette relation parce que mon manque de conscience de moi et de confiance en moi ne faisait pas le poids face à la force des convictions de Mike et à sa résolution quant à notre avenir. Il était toujours plus logique que j'étais capable de l'être. J'avais conclu que je me montrais déraisonnable, car si quelqu'un était pour dresser une liste de souhaits, cet homme répondrait à tous les vœux. Par ailleurs, je me disais que je devrais être assez forte pour me trouver en dépit de ses opinions. Alors, nous avons fait nos bagages, doublé la mise de notre engagement de couple en adoptant un chiot et déménagé dans l'est, dans une petite ville universitaire de 5 000 habitants en milieu rural, en Nouvelle-Écosse.

Vu de l'extérieur, on aurait dit que nous avions tout compris. Un bel appartement, une voiture, un chien. Nous étions tous deux inscrits dans des programmes professionnels à l'université et nous prenions le plus court chemin pour avoir des carrières stables, financièrement parlant. Nous avions un plan et nous le suivions. Selon toute apparence, nous étions un couple heureux. Mais si j'en juge par mes pensées et mes sentiments au quotidien, je n'étais pas heureuse.

Pour être juste, à l'époque je ne savais pas vraiment ce que signifiait le bonheur, ce qu'il avait l'air ou ce qu'il faisait ressentir. J'avais l'ambition d'obtenir tout ce qu'on m'avait dit qui me rendrait heureuse : une bonne éducation, des amis, une carrière stable et un petit ami que j'épouserais un jour.

Mike et moi étions en désaccord sur beaucoup de choses. Dans le feu de nos discussions, j'étais incapable de trouver mon ancrage ou ma voix. Je n'avais pas assez confiance en moi pour exprimer ma vérité. Les rares fois où je prenais position, je tentais de l'emporter dans une discussion pour pouvoir me sentir au moins un peu validée. J'étais en quête d'une autre façon de vivre et comme je ne savais pas encore ce que c'était, je ne pouvais pas la défendre, la prôner ou me défendre, moi. Je ne connaissais pas encore la langue. Plus précisément, je l'avais oubliée. Je me sentais piégée durant ces disputes. L'esprit de Mike était tellement aiguisé que je battais en retraite la plupart du temps, défaite et découragée. J'étais incapable de prendre du recul. Chercher le bonheur dans son approbation me rendait malheureuse.

Je ne savais pas encore que le bonheur venait de l'intérieur et qu'il n'avait en fin de compte rien à voir avec Mike, même si j'en avais eu un aperçu quand j'étais à Montréal. En effet, quelques années plus tôt, j'avais suivi sur la recommandation de ma mère un atelier d'une journée intitulé *Qui suis-je ?* Durant la journée, j'avais senti quelque chose s'éveiller en moi. Quand j'étais rentrée à la maison et que j'avais parlé à Mike de mon expérience, il m'avait vite convaincue que tout cela n'était que de la pseudo-psychologie et alimentait un fantasme. Ce n'était pas réel et tôt ou tard, je serais déçue. D'une certaine manière, j'ai cru ce qu'il disait et relégué l'expérience au fond de ma mémoire. L'idée que je me faisais de moi était tellement fragmentée que j'étais incapable de décider ce qui était vrai pour *moi* et encore moins de m'y fier.

CHAPITRE 3

L'élu... peut-être

———— ❧ ————

Q uelques mois plus tard, Mike et moi vivions toujours
ensemble à Halifax et une nouvelle personne est entrée
tranquillement dans ma vie.

Paul était un habitué du brunch du Libertine Café où je tra-
vaillais comme serveuse, au centre-ville. Sans que je le sache,
Paul et ses amis venaient au restaurant tous les dimanches depuis
une année entière en demandant toujours d'être assis dans ma
section. Je manquais incroyablement d'assurance à cause de
mon accent français prononcé et de mon anglais hésitant, mais
apparemment cela avait été bon pour les affaires. Des années
plus tard, je découvrirais que parmi les garçons anglais de ma
section, beaucoup trouvaient mon accent charmant.

Un soir, Paul m'a étonnée en me demandant si j'aimerais
venir travailler pour lui. Il ouvrait un restaurant de fine cuisine
et m'a dit que ce serait un honneur pour lui d'employer sa
serveuse favorite dans tout Halifax. Je ne savais pas que j'étais
sa serveuse favorite ! En fait, je ne connaissais pas réellement
cet homme sauf comme client. Quoi qu'il en soit, quelque chose
m'a poussée la fin de semaine suivante à faire le trajet d'une

heure en voiture le long du littoral sud de la Nouvelle-Écosse pour aller voir ce nouveau restaurant.

Cet après-midi-là, je me suis sentie transportée en étant avec Paul, entourée par l'océan et les escarpements du littoral sud de la Nouvelle-Écosse. C'était comme si j'avais été tirée de ma réalité du moment et placée dans une autre durant quelques heures – une réalité qui me semblait connue et fidèle à quelque chose de profond en moi. Je me suis étonnée moi-même en disant oui à Paul le même jour : je n'ai même pas pris le temps de réfléchir.

Quand je suis arrivée à la maison plus tard, tout cela a été très difficile à expliquer à Mike. Il ne comprenait pas comment je pouvais décider aussi imprudemment de quitter un emploi bien payé en ville pour aller travailler dans un restaurant qui venait d'ouvrir à la campagne. J'étais incapable d'expliquer ma décision de façon logique, pas plus que je ne souhaitais m'étendre sur l'attirance mystérieuse que je ressentais pour Paul et cet endroit. Quelque chose avait été éveillé en moi. Cette fois, je devais répondre à l'appel.

C'est ici qu'intervient Shirley MacLaine. Ce n'est pas une blague. Deux semaines après avoir accepté l'emploi, j'étais dans une librairie et son livre est littéralement tombé de la tablette à mes pieds. Il s'agissait d'*El Camino*. Quand je l'ai ouvert, voici ce que j'ai lu : « L'humanité a l'obligation morale de chercher la joie à travers le sentiment de divinité dans son être individuel. » J'ai lu et relu cette phrase. Ce serait un grossier euphémisme que de dire qu'elle a attiré mon attention. Un regard rapide sur ma vie m'a clairement montré que ce type de joie et de « divinité » n'avait pas guidé mes décisions jusque-là. J'avais suivi une compréhension logique de ce que je devrais vouloir et accomplir en fonction de l'attente, réelle ou inventée, des autres à mon endroit. Les mots de MacLaine ont jailli directement dans ma poitrine comme une étincelle, avec le potentiel d'y mettre le feu.

Je comprends à présent que MacLaine faisait allusion à la joie qui vit en chacun de nous et n'a rien à voir avec ce que nous faisons, ce que nous avons, comment nous sommes perçus ou ce que nous accomplissons dans la vie, mais qui est notre essence même, qui nous sommes. Cette étincelle existe en nous tous et attend d'être réanimée.

Même si j'étais capable de sentir la vérité de cette idée dans ma poitrine, cette sensation de résonance profonde a été immédiatement refoulée par une voix raisonnable dans ma tête qui a dit : *Juste un peu trop beau pour être vrai, tu ne crois pas ?*

Quand je suis rentrée à la maison le soir et que j'ai parlé à Mike de ce que j'avais vécu, notre conversation a renforcé mes doutes par rapport au message de MacLaine. D'ailleurs, cela a semblé contrarier Mike, l'agiter, lui faire peur même, comme si le fait de réfléchir à ce genre d'idées abstraites nous détournerait de notre plan de vie bien pensé et m'éloignerait de lui. Comme il refusait absolument d'en parler, j'ai laissé tomber.

Durant l'été, Paul et moi sommes devenus de grands amis. J'avais trouvé une âme sœur, quelqu'un avec qui je pouvais discuter des grandes questions de la vie, celles auxquelles j'avais justement réfléchi. Nous partagions tous deux le désir insatiable de comprendre les dimensions plus profondes de la vie et de nous encourager mutuellement dans l'aventure. Avec lui, j'avais l'impression que tout était possible. Il ne craignait pas de se montrer vulnérable et sensible et il avait tellement de courage pour foncer et prendre des risques en affaires, dans ses loisirs et en amitié. Ce sentiment d'absence de limites était nouveau pour moi et il voulait que je participe à cette belle et vaste exploration avec une réelle confiance dans mes capacités. Sa présence même me donnait tacitement la permission d'oser. C'était la première fois que je rencontrais l'amour inconditionnel, le reflet sincère d'une acceptation profonde et de possibilités illimitées, sans opposition. Je me sentais pleinement et complètement vue et soutenue, peu importe ce qui se passait. C'était une toute nouvelle expérience pour moi que de me sentir en même temps libre et profondément aimée.

Paul était un chef merveilleux et un passionné de nourriture. Les soirs où nous devions travailler tard, il nous préparait le repas le plus exquis une fois tous les clients partis et nous parlions des heures durant dans le restaurant éclairé aux chandelles. Durant les jours chauds de l'été, nous faisions des pauses entre nos quarts de travail pour batifoler dans les rochers ravinés de la plage et glisser sur les blocs de pierre couverts d'algues dans les vagues qui s'écrasaient sur le rivage. J'aimais admirer le dos fort et bien découplé de Paul quand il était en maillot de bain, partait faire du surf ou cherchait un poisson à harponner. Au fil de l'été, tout ce qui le concernait m'a attirée dans son monde ludique et magique. J'aurais souhaité l'avoir rencontré plus tôt dans ma vie, quand nous étions enfants, ainsi nous aurions pu jouer ensemble. C'était comme s'il m'avait manqué, même si je ne l'avais pas connu avant. Il était constamment dans mes pensées, même quand je n'étais pas au travail. J'étais en train de tomber amoureuse mais je n'avais pas de cadre de référence pour un amour qui ressemblait à cela et me faisait éprouver cela. J'ai donc classé notre relation dans la catégorie de l'amitié époustouflante et continué d'essayer de faire fonctionner mon couple.

Ma vision du monde a été mise à l'épreuve encore une fois quand Paul et moi avons été rendre visite à une clairvoyante que sa mère lui avait recommandée. Je n'avais jamais rencontré de clairvoyante avant, même si j'étais curieuse depuis que j'avais lu sur la communication spirituelle dans *El Camino*. Nous nous sommes rendus en voiture jusqu'à une vieille maison de campagne en bord de mer, entourée de jardins à l'anglaise balayés par les vents. Nous avons été accueillis par une femme d'allure excentrique aux beaux yeux bleu foncé. Comme nous venions pour des lectures séparées, elle m'a demandé de passer en premier. Je me suis assise sur son canapé au milieu de son solarium. Elle a fermé les yeux, elle a marmonné quelques mots et quand elle a rouvert les yeux, elle m'a fixée d'un regard intense. Elle s'est mise à me parler d'une voix très différente, comme si elle était quelqu'un d'autre.

Elle m'a dit que j'étais très créative, intuitive, et que je pourrais faire ce qu'elle faisait un jour. Elle a dit que j'avais beaucoup de protection autour de moi, beaucoup de guidance spirituelle. Tout cela était tellement nouveau pour moi. J'écoutais mais je ne savais pas trop quoi en penser. Elle a aussi dit que Paul et moi avions partagé bien des vies et que nous nous étions aidés mutuellement à traverser différentes leçons de vie. Je n'avais jamais entendu parler des vies antérieures mais j'ai aimé envisager mon existence de ce point de vue. Elle m'a alors paru vaste et spacieuse. La clairvoyante m'a aussi parlé de Mike, disant que j'avais fini d'apprendre ce que j'étais venu apprendre avec lui. Elle m'a dit que mon désir de l'aider à guérir et à comprendre le monde autrement ne serait pas exaucé parce qu'il était ici pour une autre raison. Je savais dans mon cœur qu'elle avait raison. Je pouvais sentir cette vérité. Puis elle a dit : « Votre relation avec Paul est la meilleure relation pour vous dans cette vie. Mais c'est encore à vous de choisir. » Je savais dans mon for intérieur *exactement* de quoi elle était en train de parler et j'ai senti résonner cette vérité dans tout mon corps. La flamme en moi était validée et cette certitude me procurait une liberté tellement émancipatrice. J'ai vu alors que mes croyances sur ce qu'une relation devrait être étaient fondées sur mes insécurités et sur ce que j'avais été conditionnée à croire qu'elle devrait avoir l'air. La seule partie qui me donnait du mal était la partie du choix. Je ne voulais pas avoir le choix. Le choix me donnait une responsabilité et je n'aimais pas cela.

Puis la clairvoyante a dit à Paul que j'étais son âme sœur et qu'il ne tomberait pas amoureux de personne d'autre dans cette vie. Aucune pression ! Mais pour Paul, elle a validé ses sentiments par rapport à qui j'étais pour lui. Il savait écouter son cœur. Il savait depuis un moment qu'il éprouvait des sentiments très forts à mon endroit.

Il ne m'a pas fallu longtemps pour mettre un terme à ma relation avec Mike. Paul et moi avons passé le reste de l'été en couple ensemble et nous avons même emménagé ensemble à l'automne. Notre relation était plus grande que nature, comme si nous étions guidés d'une expérience d'ouverture à la suivante par une force qui existait derrière le rideau mais possédait une intelligence exceptionnelle. Nous pouvions prévoir clairement ce que nous pourrions faire ensemble. C'était la béatitude totale.

La relation évoluait tellement vite que le sol a vacillé sous mes pieds et mon monde en a été secoué. J'étais tellement emportée par l'intensité d'un sentiment qui m'était aussi étranger que je n'arrivais pas à le comprendre. Je ne croyais pas vraiment que cette sorte d'amour était réel. Comment se faisait-il qu'il voie toutes ces choses merveilleuses à mon sujet quand j'en étais incapable ?

J'ai entrepris de mettre les limites et la force de l'amour de Paul à l'épreuve. Si cette histoire était si parfaite et si puissante, elle pourrait certainement résister à tout ce que je lui jetterais à la figure. J'avais besoin que cet amour vaille l'avenir imaginé auquel j'avais renoncé. Quoique, ironiquement, je n'aurais jamais pensé mettre l'amour de Mike à l'épreuve de cette manière.

L'amour de Paul était peut-être trop grand pour que je sois capable de l'accueillir ou peut-être que je considérais comme une responsabilité trop grande d'être à la hauteur d'un amour que je ne comprenais pas. Je craignais qu'en apprenant petit à petit à me connaître et en découvrant mes côtés infects, il ne se réveille un matin et ne se rende compte qu'il était tombé amoureux d'une fille qui n'existait pas vraiment. Il verrait qui j'étais réellement et il partirait. Si j'étais pour perdre un amour comme celui-là, ce serait à mes conditions – et donc, j'ai commencé à lui balancer mes côtés vraiment infects.

De combien d'amour pourrais-je le priver avant qu'il cesse de m'aimer ? Jusqu'à quelle heure devrais-je sortir pour le rendre jaloux ? Pourrions-nous faire une pause ? Combien de temps ? Il y avait beaucoup de drame et beaucoup de souffrance. Mais Paul n'est jamais parti et il n'a jamais cessé de m'aimer.

Moins de quatre mois après que nous avons eu emménagé ensemble, mes insécurités ont pris le dessus sur moi durant une période particulièrement difficile. En quittant le gym ensemble un jour, Paul et moi nous sommes disputés et il m'a demandé si je voulais toujours être avec lui. Je peux encore me rappeler du tremblement dans mes entrailles quand j'ai dit : « Je préférerais que nous soyons juste amis. » J'avais l'impression d'être complètement détachée de mon corps, comme si je flottais au-dessus de tout cela sans vraiment ressentir ce que j'étais en train de dire. Je m'étais en quelque sorte convaincue que j'allais reprendre mes plans bien établis et vivre ma vie mesurée avec Mike, qui n'avait jamais cessé de m'attendre. L'attrait de mon côté prudent et logique était trop fort alors, même face à une certitude profonde et lucide. Et en un clin d'œil, j'ai perdu Paul.

Le plan de reprendre avec Mike présentait un caractère sécuritaire et confortable. J'étais capable d'accepter cela – je pouvais le comprendre. C'était tangible, avec des indicateurs clairs et mesurables de « la bonne chose à faire ».

Je voulais vraiment que Paul et moi restions amis. Je voulais poursuivre nos conversations profondes et explorer les mystères de la vie avec lui – en même temps que j'établissais les certitudes de la vie avec Mike. Mais cette option, ce n'était pas à moi d'en décider. La douleur de Paul était trop profonde et il était rendu trop loin pour revenir à ce que nous avions été : « Un jour, tu vas vouloir me parler de ton couple, comme font les amis. Je ne serai pas capable de faire ça pour toi, je ne suis pas assez fort pour fréquenter quelqu'un que j'aime à ce point et prétendre que tout ça, c'est bien. » Il m'a dit de ne pas entrer en contact avec lui et il a entrepris de rebâtir sa vie en prétendant que tout cela n'avait été qu'une illusion.

Le soir où j'ai renoué avec Mike, nous devions nous rencontrer à 20 heures. Je suis arrivée tôt au restaurant, l'estomac noué. D'un côté, je savais que j'étais en train de trahir tout ce que j'avais appris sur l'amour et sur moi et que j'étais injuste avec Mike, mais j'ai rationalisé les nœuds dans mon estomac en les mettant sur le compte de la nervosité à l'idée de revoir un ancien amoureux.

Quelques années plus tôt, Mike m'avait offert une montre en cadeau et en l'attendant, j'ai regardé les minutes passer – 19 h 56, 19 h 57, 19 h 58... Quand il est entré, une flamme a jailli au cœur de mon corps mais je me suis quand même levée et je l'ai serré dans mes bras. J'ai entrepris de lui dire que j'étais désolée d'être partie, que c'était une erreur. Après notre repas, nous avons quitté le restaurant ensemble. Plus tard le même soir, quand j'ai regardé ma montre, j'ai été stupéfaite de voir qu'elle avait cessé de fonctionner à 19 h 59. Nous étions en février 2001.

CHAPITRE 4

Changement de cap

L e printemps 2001 tire à sa fin et j'occupe maintenant un poste temporaire d'adjointe administrative dans une multinationale du Fortune 500. Je ne sais pas exactement ce que fait ou fabrique notre division mais j'ai un trajet raisonnable à faire pour me rendre dans un quartier sécuritaire de la ville et on m'a alloué mon propre bureau à cloisons. J'entre des données pour un ingénieur et je m'ennuie à en perdre la raison, un ennui d'une intensité que je n'avais jamais crue possible. Je fais beaucoup d'argent toutefois et n'est-ce pas le but ? Bien que je n'aie pas vu Paul et que je ne lui aie pas parlé de l'hiver, il est toujours dans mes pensées. Il me manque profondément.

C'est le 14 juin, un beau jour ensoleillé de printemps. C'est l'heure du déjeuner et je mange une salade avec une collègue. Nous parlons d'un accident de voiture dont nous avons entendu parler aux informations du matin et disons que nous sommes vraiment chanceuses que ces choses-là ne semblent arriver qu'aux autres. Lorsque nous rentrons à pied au bureau, un oiseau dépose un présent sur l'épaule de ma collègue et nous éclatons de rire en disant que si c'est le pire qui arrive, tout va bien.

Plus tard dans l'après-midi, Mike téléphone pour dire qu'il veut aller jouer au golf après le travail et qu'il a invité deux amis à l'accompagner. Je sens mon estomac se nouer encore une fois. Je ne veux pas aller jouer au golf avec lui. J'ai bien plus envie d'aller surfer avec Paul. Je n'aime pas le golf et je m'ennuie d'avoir des expériences qui ont du sens et nourrissent ma vie, où l'on peut s'abandonner de tout cœur au moment et découvrir quelque chose de neuf. Puis mon moi rationnel se manifeste, le moi « sensé ». Je me rappelle que j'ai fait le choix d'être dans cette relation et que les compromis sont indissociables des relations qui fonctionnent. Aller jouer au golf avec Mike le rendrait heureux, alors je dis oui.

Nous jouons une partie, nous buvons une bière et nous rigolons un peu avec nos amis. Quand le soleil commence à descendre, nous repartons par la route longeant l'océan pour rentrer à Halifax. J'admire sa beauté pittoresque tandis que nous empruntons les virages qui nous font passer devant des falaises de roche-mère, des forêts de pins et des villages de pêcheurs au charme suranné. C'est la même route que je prenais pour me rendre au restaurant de Paul. Mike voit une station-service et décide de s'arrêter. Il vire à gauche en direction de la station mais évalue mal la distance entre notre voiture et le camion d'une demi-tonne qui vient vers nous sur l'autre voie.

Je me souviens de lui avoir crié : « *Mais qu'est-ce que tu fous ?* »

Je me souviens de m'être sentie furieuse contre lui pour avoir pris le risque de tourner.

Je me souviens d'avoir fait un mouvement sur la gauche, comme si je pourrais éviter la collision avec ce mastodonte en mouvement fonçant à toute vitesse sur moi.

Je suis entièrement exposée et vulnérable au moment où le camion déboule sur la route et percute notre voiture.

Je ne me souviens pas que la voiture fait un tour complet sur elle-même.

Je ne me souviens pas de tout le verre qui se brise et de la porte côté passager qui cède et m'écrase.

Tout ce dont je me souviens, c'est que je passe de la conscience à l'inconscience.

Quand je reprends conscience, je ne peux pas respirer et mon corps me fait mal. Quand je perds conscience, je n'ai pas mal nulle part, je vais bien et je me rends compte que je suis plutôt dans un état de béatitude. Et c'est là que je fais l'expérience d'une vie parallèle.

Je suis transportée jusqu'à un point tournant, une bifurcation sur la route, chaque voie menant à une réalité différente. Je suis projetée dans le temps et l'espace et l'expérience d'une vie qui n'est pas la mienne sinon pour un seul choix : celui que mon cœur a fait pour moi, celui que mon esprit cartésien a refusé.

Je me sens étonnamment bien, même si je reste consciente que je suis piégée dans une voiture. Je me vois avec Paul : une seconde, nous faisons du surf, la suivante, nous jouons avec nos enfants puis nous voyageons à travers le monde. Je me vois écrire des livres et enseigner. Je suis exubérante, en paix, joyeuse. Je vis l'amour inconditionnel et je sais que je suis reliée à tous mes semblables et à tout ce qui existe. J'aime profondément et je me laisse aimer. On dirait que l'amour lui-même coule dans mes veines.

En reprenant conscience, je vois le contraste entre la vie que je mène et la vie de ma vision. Je suis capable de maintenir les deux réalités dans ma conscience sans porter de jugement. Je revis l'intimité de l'été précédent. Quelque chose revient me chercher, vient pour me ramener à la maison.

L'expérience dure quelques secondes, quelques minutes peut-être. Quand je reprends conscience la fois suivante, j'essaie de respirer. C'est difficile mais je réussis à prendre de toutes petites goulées d'air, ce qui semble me garder consciente.

Tout autour de moi, les gens sont paniqués. Des témoins qui se sont arrêtés pour aider lancent des coups de fils frénétiques en aboyant des ordres. Mike est sous le choc de me voir piégée dans la voiture. Mon amie, qui était assise à l'arrière, est inconsciente et on nous dit qu'elle ne respire pas. On pense qu'elle est morte. C'est le chaos et j'ai mal mais je sais aussi que tout finira bien. Je ne pense pas que je vais mourir. Je ne m'en fais pas à propos de mon amie, je sais qu'elle s'en sortira. Je suis remplie de paix.

Les ambulanciers mettent vingt minutes à arriver. Comme la portière côté passager est impossible à ouvrir, ils descendent la civière dans la voiture accidentée en passant par le toit ouvrant et me font sortir par cette petite ouverture. Ils m'aident à respirer tout le long du trajet jusqu'à l'hôpital où je dois subir une opération d'urgence.

Mes poumons se sont partiellement affaissés et mon foie a été gravement lacéré au moment de l'impact. Quand les chirurgiens opèrent, ils voient qu'il a été coupé en deux par le milieu, entre les deux lobes. Il y a eu hémorragie interne mais le saignement s'est en quelque sorte arrêté dans l'ambulance en route vers l'hôpital. Le chirurgien n'a jamais rien vu de tel.

Je me réveille après la chirurgie dans une unité de soins intensifs le 15 juin au matin.

Je sais avec chacune des cellules de mon corps que la vie que j'ai vue était à moi, que c'était à moi de me la rappeler, à moi de me la réapproprier. Il est temps de cesser d'ignorer l'appel comme une flamme en moi. Je me promets que si je survis, j'arrêterai de laisser mes peurs et ma prudence avoir le dessus sur ma certitude plus profonde. Je vois combien de détails devront changer et aussi que je devrai assumer la responsabilité de celle que je me suis laissée devenir. Je sais que je dois m'éveiller à la vie pour laquelle je suis née et trouver qui je suis réellement.

Mike a téléphoné à mes parents durant la nuit ; ils ont décidé de partir le lendemain matin du Québec et de venir en voiture. Ils arriveront deux jours plus tard, car ils ont l'habitude de couper le voyage en deux en passant une nuit dans un gîte du passant. Bien que Mike n'apprécie pas, je ne dis rien. Je m'enorgueillis d'être une personne forte et indépendante. Je tiens cela de ma grand-mère.

Quand mon état est plus stable, des amis viennent me rendre visite. À un moment donné, je demande en cachette à mon amie de téléphoner à Paul. Elle revient du hall plusieurs minutes plus tard et m'informe sans autre explication qu'il ne viendra pas.

Il y a certaines choses que nous devons faire nous-mêmes.

CHAPITRE 5

Grand-maman

L e moyen que ma grand-mère avait trouvé pour me témoigner son amour était de me laisser jouer aux machines à sous au magasin du coin dans notre Québec rural. Ce n'était pas tout le monde qui comprenait notre lien mais nous communiquions à notre manière bien particulière. Elle était la complice parfaite et ne craignait pas de contourner les règlements de ma mère ou d'y faire une entorse. En fait, elle adorait cela. En plus de nous emmener avec elle à d'autres séances de jeux (le bingo!), elle nous donnait en cachette, à mon frère et à moi, de petites sommes d'argent, des bonbons et d'autres cadeaux. Ce comportement rebelle n'était pas réservé uniquement à sa fille, puisqu'elle mentait souvent à son cardiologue en lui racontant des histoires sur sa consommation de cholestérol. Elle était folle des fruits de mer et m'a enseigné à manger du homard et du crabe frais, trempés dans du beurre, sur les côtes rocheuses du Saint-Laurent.

Plus tard dans sa vie, une fois en maison de retraite, elle m'écrirait lettre sur lettre sur ses jours ordinaires au cours desquels son activité favorite consistait à enfourcher son tricycle pour adulte et à se rendre à la boîte aux lettres à l'entrée de la propriété pour voir si je lui avais écrit à mon tour. Une fois adolescente, je ne me suis pas attachée à lui répondre autant que je souhaiterais l'avoir fait aujourd'hui.

J'avais 16 ans quand grand-maman a été admise à l'hôpital après sa troisième crise cardiaque. Ma mère allait se rendre à Montréal en voiture pour la voir et j'ai voulu l'accompagner. Elle a refusé sous prétexte que je ne devais pas manquer l'école. Par la suite, elle m'a dit que la vraie raison était qu'elle ne voulait pas m'exposer à la souffrance de ma grand-mère. Elle voulait me protéger de la souffrance.

Je suis donc restée à notre chalet du lac. Je me rappelle que je me suis assise toute seule sur le quai, les pieds dans l'eau, et que j'ai parlé à ma grand-mère en imagination, en lui disant que j'espérais qu'elle se sentirait bientôt mieux. Plus tard le même soir, j'ai téléphoné à l'hôpital pour lui parler. L'infirmière m'a dit qu'elle ne pourrait pas venir au téléphone et n'était pas autorisée à répondre à celui dans sa chambre parce que son état se détériorait. J'ai manqué d'air une seconde en imaginant grand-maman toute seule dans une chambre d'hôpital vert grisâtre et j'ai demandé à l'infirmière de lui dire que je lui souhaitais une bonne nuit. Elle a immédiatement hurlé d'un ton bourru : « Votre petite-fille vous souhaite une *bonne nuit*[II]. » J'ai entendu grand-maman répondre : « Dites-lui que je lui souhaite la même chose. » J'ai été frappée par le ton vibrant de sa voix et je me souviens avec précision de ses paroles.

Le lendemain matin, ma mère m'a téléphoné pour me dire qu'elle était décédée durant la nuit. J'en ai eu le cœur brisé. C'était la première fois que je perdais un proche. Ma mère m'a dit que les funérailles auraient lieu le lendemain et qu'elle rentrerait ensuite. Je lui ai demandé la permission de venir mais elle a refusé encore une fois en disant qu'elle devait me protéger de la souffrance. J'ai raccroché le téléphone, je suis retournée

---

II.   En français dans le texte.

au bout du quai et je me suis assise. J'étais envahie par un sentiment de perte et j'ai pleuré de tristesse, de colère. J'étais en colère contre ma grand-mère pour ne pas m'avoir avertie avant. J'étais en colère contre ma mère pour ne pas m'avoir permis d'être présente. J'étais en colère contre moi pour avoir perdu un temps précieux quand ma grand-mère était vivante. J'aurais voulu avoir eu plus de temps pour lui montrer à quel point je l'aimais. Je me sentais seule et déboussolée.

Le fait d'avoir été élevée dans la religion catholique ne me serait d'aucune utilité. Je me demandais ce que mon archevêque dirait. Qu'est-ce qu'il me dirait de *faire* ou de *penser*? Les explications sur la vie après la vie et l'âme, telles qu'elles étaient fournies par mon Église, ne trouvaient aucun écho en moi. Je les avais apprises comme on apprend des histoires, avec un sentiment de détachement: elles étaient mystiques, divertissantes, parfois ennuyeuses. Mais maintenant que j'en avais le plus besoin, elles ne me semblaient pas réelles. Où donc était ma grand-mère?

J'étais incapable d'imaginer que cette personne que j'aimais et à qui j'avais parlé quelques heures auparavant avait complètement disparu, car rien dans notre relation ne me semblait avoir vraiment changé. À part le fait qu'on m'avait dit qu'elle était morte. Je m'attendais à un évènement dramatique, comme un nuage sombre se matérialisant au-dessus de moi et de ma famille. Or, ce n'était même pas proche de la réalité. En faisant face à la mort pour la première fois, j'ai été frappée devant son impuissance et son incongruité. En vérité, j'étais toujours la petite-fille bien-aimée de ma grand-mère. Le sentiment était intact et la nature de notre relation, inviolée. À ce jour, je me rappelle encore avoir vécu cette certitude comme une sensation d'énergie circulant dans mon corps. Il y avait une compréhension dans mon cœur qui me rassurait sur notre lien et faisait allusion à quelque chose de plus grand.

Je suis restée assise sur le quai sans personne autour. Je me suis mise à crier et à pleurer. Je n'ai rien retenu tandis que j'étais traversée par des vagues d'émotions. Après la tempête de larmes, je me suis apaisée. Pendant un moment, il n'y a rien eu d'autre que l'immobilité. Pas d'émotions agréables ou désagréables. Tout me semblait neutre.

J'ai fermé les yeux et fixé mon attention sur cette relation avec ma grand-mère qui était toujours très, très réelle en moi. C'était elle qui m'avait fait connaître la prière, en me murmurant des instructions à l'oreille tandis que nous étions agenouillées, après la communion. J'avais eu l'impression d'être invitée à converser directement avec Dieu.

Je suis retournée en esprit dans cet espace intemporel de prière et j'ai pu sentir encore une fois très distinctement la présence de ma grand-mère en moi et autour de moi, plus encore même que de son vivant. Le lien était plus direct et tout ce qui gênait autrefois avait disparu.

J'ai fermé les yeux et je me suis adressée à elle à voix haute : «Alors, c'est comme ça entre nous maintenant!» J'ai pu la sentir me rassurer. J'ai repris : «Comment tu te sens? Où es-tu? As-tu besoin de quelque chose?» Je me sentais proche d'elle. Pas en imagination mais par mes sentiments et dans mon cœur. D'autres larmes sont montées mais c'étaient maintenant des larmes de joie et elles ont adouci ma souffrance. Je me suis sentie aimée et vraiment privilégiée d'avoir ce moment avec elle.

Quand j'ai ouvert les yeux, un papillon blanc voletait juste devant moi au-dessus de l'eau. Était-il là pour moi? Je l'ai observé en silence tandis qu'il s'attardait. Est-ce que grand-maman avait quelque chose à voir avec lui? Après un moment, il est parti à tire-d'aile vers la forêt et je l'ai suivi joyeusement. Il s'est posé sur un rocher moussu et il est resté là tandis que je rassemblais des pierres et des fleurs et que j'organisais ma propre petite cérémonie funéraire pour ma grand-mère. Au sein de la nature, je sentais sa présence.

J'ai su après cela qu'elle n'était pas vraiment partie. Mieux encore, elle était plus proche de moi que jamais. Elle n'était plus limitée par son corps et les murs émotionnels qui l'empêchaient d'exprimer sa tendresse profonde. Il n'y avait plus de conditions à son amour. Ce qui rend quelqu'un spécial, c'est son essence invisible, son être éternel. J'ai commencé à comprendre que l'amour entre deux personnes a plus à voir avec leur lien invisible qu'avec les rôles qu'elles jouent ou ce qu'elles font. Mon lien avec grand-maman après son décès m'a initiée à une dimension de moi que j'ai sentie vaste et illimitée.

Je n'avais que 16 ans et bien que sa présence ne m'ait jamais quittée et soit encore tangible aujourd'hui, j'ai oublié le sens plus profond de cette expérience jusqu'à l'accident de voiture.

CHAPITRE 6

Une folle certitude intérieure

ue s'était-il vraiment passé dans les moments suivant l'accident? Qu'est-ce qui avait causé le phénomène qui m'avait fait vivre une autre existence de manière aussi saisissante? Je ne le savais vraiment pas. Je n'avais aucun cadre de référence pour une expérience pareille. En revanche, je me rappelle m'être dit: *Ce doit être une expérience spirituelle – ce que je vis doit avoir quelque chose à voir avec mon âme.* À l'époque, je n'avais que des connaissances limitées sur la spiritualité. Je n'avais pas laissé beaucoup «d'âme» entrer dans ma vie bien réglée. Mais de ce que je savais, c'était une expérience spirituelle – mystérieuse, hors du commun et importante.

D'un autre côté, la question cruciale était: pourquoi était-ce si important pour moi qu'elle ait changé la trajectoire de ma vie? J'étais au début de la vingtaine. J'étais censée être en train d'essayer des choses, d'emprunter la mauvaise voie et de commettre des erreurs. Par ailleurs, les gens font des erreurs durant des dizaines d'années sans être tirés de leur corps par une expérience mystique. Alors pourquoi moi? Et pourquoi maintenant?

L'année précédant l'accident, je savais que quelque chose ne tournait pas rond. Je me sentais insatisfaite, je n'étais pas en paix avec moi-même, loin de là. J'étais toujours en train de chercher quelque chose à faire ou à planifier dans le but de devenir qui je pensais devoir être. Au lieu de m'attaquer au fait de me sentir mal dans ma peau, j'ai choisi de créer des distractions sans fin. Je me suis lancée dans une foule d'activités et de dépendances pour noyer mon mal-être. J'ai essayé de remplir le vide par des fêtes, des drames dans mes relations, en planifiant trop, en contrôlant chaque aspect de ma vie et en excellant à l'université.

Quoique l'idée d'avoir planifié mon avenir avec Mike ait été réconfortant et même emballant à envisager à l'occasion – les privilèges des propriétés, voitures et vacances luxueuses que nos carrières prospères nous procureraient –, quelque chose en moi savait que cela ne remplirait jamais vraiment cette sensation de vide. J'avais une certitude intérieure déconcertante qui me disait que peu importe ce que nous accomplirions ou ce que nous en viendrions à posséder, ce ne serait pas suffisant.

Quelle était cette certitude ? J'avais l'habitude de l'appeler « ma voix de dingue ». Je la percevais comme une petite flamme et je l'entendais comme une voix sortie des profondeurs de mon être, mais ce n'était pas mon amie. Je la considérais comme un rêve éveillé, une partie sauvage, un défaut ou une erreur dans ma constitution génétique. Je n'avais pas confiance en elle, même si elle était là tous les jours et avec moi depuis aussi longtemps que remontait mon souvenir. Je n'en tenais pas compte la plupart du temps, me référant plutôt à mon cerveau pensant, doté de sens commun, qui apprenait à partir du mode de vie des gens autour de moi.

Je sais aujourd'hui que l'accident s'est produit pour une raison. Mon heure n'était pas venue de mourir. En revanche, mon heure était venue de commencer à prêter attention à cette certitude intérieure qui n'était pas si folle que cela après tout. En fait, j'avais le sentiment qu'elle risquait plus de me rendre folle ou d'engendrer d'autres évènements dramatiques si je m'entêtais à ne pas en tenir compte. Le temps était venu de me faire confiance, même si je ne savais pas du tout qui était cette personne en qui il fallait que j'aie confiance.

Deux semaines ont passé depuis l'accident et je suis allongée dans un lit d'hôpital. Ma vie s'est brusquement arrêtée. Je suis faible, dépendante, effrayée. Je ne peux pas aller à la salle de bain toute seule et j'aimerais vraiment me laver les cheveux mais il faudra que cela attende.

Je n'ai rien d'autre que du temps pour rester allongée là à réfléchir à ma vie. L'accident me fait prendre conscience de la grande dissonance entre ces deux vies parallèles différentes, l'une réelle et l'autre remémorée. Quelque chose à propos de cette expérience mystique me semble très connu. Je suis ramenée à ces instants avec ma grand-mère sur le quai, au sentiment d'intimité et de complétude et à l'essence de l'expérience. Il m'apparaît indéniable que mon expérience avec grand-maman et l'accident de voiture étaient des évènements spirituels transcendants, en quelque sorte reliés.

L'accident m'a clairement montré que ce qui semblait important à mon entourage n'allait pas m'apporter la paix, la joie ni un sentiment d'accomplissement. Si c'est vrai, qu'est-ce qui me rendra heureuse ? Qu'est-ce que le bonheur, pour commencer ? Est-ce que l'épanouissement et la tranquillité d'esprit sont même atteignables pour le commun des mortels ? Puis-je faire confiance à cette folle certitude pour qu'elle me montre le chemin ? Est-ce sain d'esprit ? Est-ce même sans danger ? Je n'ai pas les réponses à ces questions mais je sens que quelque chose de plus puissant que mon esprit humain ouvre la voie.

Ma vie avec Mike était comme un train sur des rails, alimentée par son propre élan. Par conséquent, ma «vraie» vie m'attendait quand je suis rentrée à la maison. Ma famille et mes amis m'ont affectueusement aidée à retrouver une impression de normalité. Mais je n'étais plus la même.

Mike n'avait pas été blessé dans l'accident. En tout cas, pas physiquement. Mais la pensée de me perdre, d'avoir causé cette souffrance, d'avoir quasiment tué ses amis, l'a traumatisé. Il n'en parle pas beaucoup. Je le plains.

Je veux profondément renouer avec Paul. Il peut peut-être m'aider à m'orienter dans cette nouvelle réalité. Je veux lui raconter mon expérience spirituelle au moment de l'accident. Il me manque toujours énormément. Mais depuis la dernière fois que je l'ai vu, voilà des mois, il s'est fait une vie qui ne m'inclut pas. Des semaines après être sortie de l'hôpital, je décide de lui faire signe encore une fois. Je lui envoie deux messages gentils. Il est encore très blessé, en colère, et hésite à me faire confiance. Il confirme, en des termes on ne peut plus clairs, qu'il n'a aucune envie de continuer à être mon ami. Je ne peux pas lui en vouloir.

> Je pars pour l'Ontario. Est-ce que je peux te voir avant de partir?

> S'il te plaît, va te faire foutre.

Je me dis que si je suis pour lui faire signe un jour, ce ne sera pas avant d'avoir fait l'effort de régler mes problèmes personnels parce que je ne veux plus jamais, sous aucun prétexte, lui faire du mal. Bien que nous soyons en froid, il reste la personne que je préfère au monde. Il est la dernière personne à qui je veux faire du mal. Je soupçonne que si j'ai un seul espoir de bien vivre un amour comme celui-là, je devrai me ressaisir et d'abord travailler sur moi.

Mon premier geste consiste donc à quitter l'environnement auquel je suis habituée. J'ai besoin d'une grosse coupure dans mes habitudes pour ne pas pouvoir retomber dans mes vieux schémas. J'ai besoin d'un nouvel environnement et de nouvelles personnes dans ma vie pour m'aider à rester fidèle à ce que je sais au fond.

Je déménage donc en Ontario, à 1 700 kilomètres de distance, et j'entreprends des études en éducation.

CHAPITRE 7

Point de rupture

J'arrive à Kingston, Ontario, en septembre 2001. J'ai déménagé vingt fois depuis l'âge de 17 ans. Toujours en convalescence, je suis brisée, faible et seule. Me voici encore en terre inconnue. Je suis emballée par ma liberté et le côté inédit d'un nouvel endroit mais en même temps, je suis encore fragile d'avoir eu les entrailles bouleversées il n'y a pas deux mois. J'ai soif d'aventure et lorsque je dois préciser où j'aimerais faire mon stage pratique en enseignement le printemps suivant, j'écris : *Californie*.

J'ai rendez-vous avec le directeur des stages à 10 heures du matin pour discuter des détails de mon stage à l'international. Lorsque j'entre dans son bureau, il fixe intensément l'écran de son ordinateur. Comme il ne me salue pas, j'entreprends de lui parler de ma liste de souhaits pour mon stage dans une école en Californie. Il me regarde et dit : «Vous n'êtes pas au courant, n'est-ce pas ?» Il tourne l'écran de son ordinateur vers moi et c'est là que je vois l'image des tours jumelles en flammes.

Je sors dans le jardin où de nombreux étudiants sont assis, discutent et pleurent. Même si nous sommes au Canada et bien loin de la ville de New York, j'ai l'impression de réagir comme si je devais me préparer à lutter ou à fuir.

Le monde ne m'a pas semblé sûr ce matin-là et il en a été ainsi très longtemps après.

CHAPITRE 8

Lectures d'été

———⚬⚭⚬———

N ous ne voyons pas vraiment l'été comme une période pour affronter nos peurs mais j'ai affronté une des miennes au cours de l'été 2002.

Pour la première fois de ma vie, je me suis trouvée à vivre seule. Je sous-louais la maison d'une dame âgée qui insistait pour que les lieux restent meublés. Le papier peint d'origine datait de 1950, les appareils ménagers étaient vert menthe ou jaune crème et les meubles, emballés dans du plastique. Mais la maison était confortable et je l'aimais. Pour la première fois depuis le lycée, je n'étais pas en couple. Je commençais à me « fréquenter » à 24 ans : films, soupers ou juste rester à la maison un samedi soir. C'étaient mes premiers pas pour apprivoiser la solitude.

J'avais alors une préférence pour les écrivains francophones contemporains : Ying Chen, Hélène Monette, Élise Turcotte, François Cheng. La lecture de leurs ouvrages me donnait des aperçus de l'insatisfaction existentielle qui semble si courante dans notre société moderne. Ils s'adressaient directement à l'instinct en quête de sens et au malaise en moi. Ils savaient quelque chose de profond sur la vie mais ne l'exprimaient pas directement. Ils usaient de métaphores et d'analogies, de contes et de symboles ; pourtant, il était clair qu'ils cherchaient eux-mêmes à comprendre la vie et la place qu'ils y occupaient en tant qu'individus créatifs.

J'ai aussi commencé à lire des ouvrages de spiritualité. Dans des moments de grande solitude, je me rappelais Paul et nos conversations et je me retrouvais à la librairie du quartier à acheter des livres comme *La vision des Andes* et *We Are Eternal*. De cette manière, je restais près de Paul et de mon âme. Suivant le conseil de *La vision des Andes*, j'ai commencé à calmer délibérément mon mental avant de m'endormir le soir, en fixant mon attention sur ma respiration et en jouissant des sensations que la relaxation m'apportait. Cela durait une minute ou deux avant que mon mental redevienne actif ou que je m'endorme. La sensation me rappelait quand je priais, seule et après la communion avec ma grand-mère. Et c'est ainsi que j'ai commencé à méditer.

Même si j'aimais beaucoup ma pratique sacrée du soir, je vivais vraiment dans mon mental le jour ; *penser* et *agir* restaient ma façon de faire par défaut.

Septembre est arrivé et je suis retournée à l'école, cette fois comme enseignante. J'ai été engagée dès ma sortie de l'université par une école privée prestigieuse pour enseigner le français aux 5e, 6e et 7e années. Je me souviendrai toujours de ce premier jour de mon premier « véritable » emploi. Ma classe était organisée et prête à accueillir les élèves. J'arrivais de la salle des professeurs avec un café à la main. Je me suis approchée de la porte de la classe et je suis entrée. Assis sur leurs chaises, les enfants avaient les yeux levés sur moi. Ils étaient tellement beaux, je suis tout de suite tombée amoureuse. Au même moment, j'ai senti dans mon ventre ce feu brûlant bien connu qui me parlait. J'étais emballée d'avoir la chance d'apprendre à connaître ces magnifiques petits êtres humains, mais je savais sans l'ombre d'un doute que cette carrière d'enseignante à l'élémentaire n'était pas pour moi. C'était le rêve de quelqu'un d'autre. Je le savais parce que j'ai reconnu la sensation dans mon corps, ce sentiment de ne pas être à la bonne place.

J'avais toujours admiré mes professeurs et mes mentors et la nouvelle boussole de mon âme avait paru m'orienter vers l'enseignement. Être enseignante était raisonnable et m'offrait un avenir sûr sur le plan financier. Je me souviens que ma mère m'avait dit que c'était le plus beau métier du monde : elle l'aurait fait si sa vie avait été différente. Elle admirait et respectait les professeurs et je voulais qu'elle m'admire et me respecte de la même manière.

Le soir, je suis rentrée à mon appartement, déçue et en colère contre moi-même. Pourquoi étais-je incapable d'être heureuse après tout le temps et tous les efforts que j'avais investis pour en arriver là ? J'étais tout à fait consciente que cet emploi en serait un de rêve pour bon nombre de mes amis et de mes parents. Mais je n'étais pas assez bête pour ne pas tenir compte de cette sensation dans mon ventre. J'avais appris que c'était mon âme qui me disait quelque chose d'important et qu'il fallait que j'écoute.

Je me suis promis que je ferais le travail le plus impeccable possible pour ces enfants durant l'année. Ce que j'ai fait. Mais je me suis aussi immédiatement inscrite à la maîtrise en littérature francophone contemporaine et en novembre, j'étais acceptée pour l'année suivante. Je voulais vraiment aller au fond des choses et comprendre le sens de la vie. Je n'avais pas fini d'étudier et étudier la littérature à la maîtrise m'a semblé la meilleure solution.

La question est alors devenue : si je n'étais pas enseignante à l'élémentaire, étais-je professeure d'université ?

CHAPITRE 9

Au-delà des vagues

—◦◦◦—

C'est la saison du surf à Lawrencetown.

Ce n'était pas tout à fait l'invitation à bras ouverts que j'espérais mais je devrais m'en contenter. Je n'avais jamais eu à courtiser les hommes avant et cela se voyait. Deux ans et demi après notre rupture, j'avais finalement réussi à trouver pour un courriel un ton qui mélangeait assez habilement réserve et politesse pour que Paul ne me rapporte pas comme indésirable.

Je n'avais pas cessé de penser à lui durant ces années. Même si ce processus pour me découvrir et me rapprocher de mon cœur relevait en fin de compte de mon cheminement personnel et était distinct de celui qui me ramenait vers Paul, je savais au fond que nos destins étaient liés et qu'ils initieraient une vie que je n'arrivais même pas à imaginer. Nos routes se croisaient dans mon esprit et mon imagination quand j'avais lu un bon livre ou que j'étais inspirée par un projet. Il faisait partie de mon monde intérieur et je parlais de lui à mes amis. Il était devenu ce personnage dans mon histoire, même s'il l'ignorait. Je lui avais envoyé des cartes pour son anniversaire, j'avais laissé des messages à son travail et même essayé de le surprendre en faisant un voyage funeste en Nouvelle-Écosse à Noël. Je dis funeste parce que de un, il ne voulait pas me voir ; de deux, il était à Cuba avec sa petite amie ; et de trois, je me suis retrouvée avec un empoisonnement alimentaire.

Ne me laissant pas dissuader, j'ai persisté. Grâce à un échange de courriels, j'en étais venue à soupçonner que les choses étaient loin d'être parfaites avec sa petite amie par intermittence. Était-ce une ouverture suffisante pour justifier un deuxième trajet en voiture de 3 000 kilomètres aller-retour à Halifax ? Difficile à dire mais je le répète, je n'avais pas beaucoup d'expérience pour ce qui était de courtiser les garçons. C'était loin d'être gagné mais ma meilleure amie, Elsa, et moi avons sauté dans ma Toyota Echo et fait le voyage.

En dépit de ma persistance, Paul n'avait pas été disposé à mentir ou à risquer une dispute avec sa petite amie. Il n'avait pas voulu me voir. Aussi, quand il m'a envoyé ce courriel – *C'est la saison du surf à Lawrencetown* –, son choix de mots a révélé son ambivalence. Il était parfaitement clair que ce n'était pas un rendez-vous. Ce n'est pas comme s'il me proposait une heure et un lieu. Par ailleurs, comme Lawrencetown est la plage de surf la plus achalandée de toute la Nouvelle-Écosse, les chances de le repérer dans la foule étaient plutôt minces.

J'ai enrôlé une deuxième amie et nous sommes parties toutes les trois pour la plage. Quand j'ai aperçu Paul qui gravissait la dune de sable avec sa planche de surf, la situation m'a paru tout à fait juste et en même temps complètement surréaliste. C'était un sentiment magnifique que d'avoir cette confirmation que j'étais au bon endroit au bon moment. Mais ne vous en faites pas, je l'ai joué *cool*.

Tout le monde était poli et cordial et les bonnes manières de Paul le rendaient difficile à saisir, surtout s'il ne voulait pas l'être. Nous avons enfilé nos combinaisons de plongée et il a donné une brève leçon de surf à mes amies. J'étais nerveuse à l'idée de me montrer trop entreprenante mais en fin de compte, nous avons lentement dérivé tous les deux en silence sur nos planches loin de la foule dans l'eau calme au-delà des vagues. Le ciel était radieux. Il y avait environ 300 personnes sur la plage ce jour-là et beaucoup de surfeurs dans l'eau. Mais à mesure que nous parlions et dérivions, une brume nous a enveloppés comme dans un cocon. Quand nous nous sommes fait face, le temps a ralenti et tout le reste a semblé disparaître. Nous étions seuls sur la mer immense et pour la première fois en presque trois ans, je pouvais le regarder dans les yeux.

J'ai dit : « Nous devrions être ensemble, tu sais. Tu ne veux pas être heureux ? »

« Je me fiche d'être heureux. Je veux du sens dans ma vie. »

Je n'étais pas préparée à cela. « Sens-tu que tu peux avoir ça avec moi ? »

Il n'a pas répondu.

À ce moment, sur ces planches de surf au milieu d'une mer calme, Paul a fait écho à ma folle conviction intérieure. Ma façon de comprendre la vie a changé en un clin d'œil. C'était une expérience transcendante. Je me suis rappelée la magnitude réelle de mon essence spirituelle et le fait que le bonheur était le résultat de ce sens. J'ai su alors sans l'ombre d'un doute que je pourrais suivre ce chemin avec Paul. J'ai su qu'il accorderait de la valeur à ma quête de sens et d'actualisation et qu'il me soutiendrait. Je voulais qu'il soit celui avec qui je partagerais ce cheminement. Et je voulais faire partie de tout ce qui avait du sens pour lui.

Le soir, nous avons rejoint des amis dans un bar. Comme parler était difficile, nous nous sommes esquivés en douce et nous nous sommes cachés dans sa voiture durant des heures pour échanger. Je savais qu'un retour en arrière était impossible. Il m'a confié que les trois dernières années avaient été très difficiles, que me perdre avait été une des épreuves les plus pénibles qu'il avait jamais traversées. Il avait du mal à assumer son travail, il avait lutté contre la dépression et été incapable de s'investir dans une autre relation.

J'ai quitté la Nouvelle-Écosse amoureuse. Amoureuse de ma vie, de mon chemin, de mes questions, de ma confusion et de mes désirs. J'ai quitté la Nouvelle-Écosse amoureuse de Paul. Il n'était plus un fantasme ni une illusion.

Un mois plus tard, une fois mon programme de maîtrise entrepris, j'ai sauté dans un avion pour lui rendre encore une fois visite. Il avait loué un chalet au bord de l'océan et le soir, tandis que le ciel changeait de couleur de façon théâtrale et que le vent se levait, nous avons été faire du snorkeling dans la marée montante. Flottant à la surface des eaux agitées, j'ai regardé Paul plonger profondément dans l'eau noire et froide de l'océan Atlantique pour pêcher un homard. Lorsque l'ouragan Juan a touché terre, nous étions à l'aise et au chaud à l'intérieur, devant un feu de cheminée, à dîner et à renouveler notre engagement mutuel. Nous avons décidé que Paul viendrait vivre avec moi à Kingston, du moins pour la durée de mes études.

Des semaines plus tard, il a remonté mon allée avec sa Toyota remplie à pleine capacité. Une des premières choses qu'il m'a dites a été : « Savais-tu que c'est la journée des âmes sœurs demain ? » Il m'a en quelque sorte convaincue que c'était vrai, qu'il s'agissait d'une sorte de fête anglophone Hallmark, et il a passé la journée à me couvrir de cadeaux et de poèmes. Nous avons fait une longue randonnée à pied et dîné aux chandelles au Chien Noir dans la vieille ville. Quand nous sommes rentrés à la maison, il y avait des pétales de rose partout dans la pièce. Quand je me suis retournée, Paul avait un genou par terre. Je n'avais rien vu venir. À ce jour, nous célébrons toujours le jour des âmes sœurs et c'est certainement mieux que toutes les autres fêtes Hallmark de la culture anglophone.

J'avais tout ce que je pensais vouloir mais ma vie n'avait pas fini d'évoluer. Vraiment pas.

CHAPITRE 10

Deux ans, deux continents, deux diplômes et un bébé

───── ✤ ─────

Vue de l'extérieur, ma vie était parfaite. Je venais de me fiancer à l'homme avec qui je voulais passer le reste de ma vie. Je terminais ma maîtrise avec une directrice de thèse que j'admirais énormément. Pour finir, j'avais été acceptée au doctorat à Bordeaux, en France. À la fin de l'année, nous avons repris le chemin de la Nouvelle-Écosse, où le restaurant de Paul faisait des affaires d'or et gagnait en popularité à travers toute la province. Nous avons acheté une petite maison centenaire de style Cape Cod non loin de là et découvert peu de temps après que j'étais enceinte. Même si je pourrais toujours aller en France pour les cours, la recherche et les conférences, j'avais obtenu l'autorisation d'écrire la majeure partie de ma thèse au Canada. Tout s'est passé tellement vite, c'était comme si l'univers avait été en vacances un moment et que notre destin revenait au galop maintenant que nous étions ensemble. J'étais au septième ciel, sauf pour un petit problème.

La douleur.

Elle avait commencé quand j'enseignais. J'avais des sinusites chaque fois que j'attrapais un rhume ou la grippe. Elles disparaissaient avec la médication mais quand j'ai commencé ma maîtrise, la douleur a fait son apparition subtilement les jours de pluie, un bourdonnement sourd autour des yeux. Elle ne durait pas très longtemps, absorbée par le soleil. C'est au moment où nous sommes revenus en Nouvelle-Écosse, l'endroit le plus pluvieux au monde à ma connaissance, à l'exception de Kauai, que la douleur a commencé à s'établir de façon plus permanente. J'étais enceinte, j'essayais de mettre le point final à ma thèse et de m'accommoder de la douleur chronique dans ma tête – une lourdeur, comme une couche de brouillard, qui ne me permettait pas de voir clairement ni de me concentrer.

Au début, la douleur était subtile. D'une certaine façon, c'est ce qui l'a rendue plus facile à ignorer. J'avais toutes sortes d'explications rationnelles – allergies, virus, fatigue – et je me suis même demandé si ce n'était pas juste « dans ma tête ». Les antibiotiques réglaient parfois le problème mais la douleur revenait à nouveau, plus forte, dès que le temps devenait gris et pluvieux. En fait, la douleur restait présente de plus en plus souvent même quand le soleil se montrait. Elle ne faisait que persister, constante, agaçante, et miner lentement ma patience. Elle avait fini par devenir présente tous les matins à mon réveil. Elle était chronique, elle était constante et elle ne disparaissait jamais. J'ai cherché à me distraire en croyant qu'elle s'évanouirait si je n'y pensais pas. Mais il n'y avait nulle part où aller.

Ma tête, le siège de mon intellect et la partie de moi que j'estimais le plus, ne fonctionnait pas correctement. Jusque-là, ma capacité à me concentrer et à faire avancer les choses avait été au cœur de mon identité et de mon estime de moi. Ce n'était que de cette manière que je savais comment être « moi ». Mon intelligence avait été mon alliée depuis toujours et maintenant que je rédigeais ma thèse et que j'en avais le plus besoin, elle me laissait tomber. La douleur a lentement étouffé ma *joie de vivre*[III]. J'avais du mal à trouver de la joie et du sens parce que durant cette période, la joie et le sens venaient de ce que je *pensais* et de ce que je *faisais*.

Je me suis dit que la douleur avait probablement été aggravée par ma grossesse et qu'il y avait donc des chances qu'elle disparaisse après mon accouchement. Mais alors, Olivier est né en février 2005, sans un cri et sans respirer. Les médecins l'ont fait respirer très vite et ont pincé ses petits orteils pour le faire pleurer un peu. Il a poussé un petit cri aigu avant de se taire à nouveau, les yeux grands ouverts. Les médecins l'ont enveloppé dans une couverture et posé sur mes cuisses. J'ai plié les genoux pour pouvoir mieux le voir en élevant ses yeux au niveau des miens.

Je l'ai fixé avec émerveillement. Il venait de se passer un tel chaos. D'abord, les douleurs de l'accouchement, puis les voix fortes et les bruits tonitruants du personnel de l'hôpital réagissant au fait que le bébé ne respirait pas. Néanmoins, quand j'ai regardé Olivier dans les yeux, j'ai vu un petit être qui n'était pas du tout affecté par cette tempête extérieure. Il était en paix. Il était la paix. Et il y avait une joie formidable dans la simplicité de cette paix. J'ai vu l'amour divin en lui. J'étais là, présente avec lui, présente avec Paul et j'ai pensé : *C'est le sentiment que j'ai eu au moment de l'accident. Voilà qui je suis. Voilà qui nous sommes.* J'ai versé des larmes de joie.

Olivier était un bébé facile. Il était heureux d'*être*, tout simplement, dans son corps, dans cette vie, sur cette terre, à cette époque. Si quelque chose clochait dans son monde, il avait une façon particulière de pleurer qui nous faisait facilement comprendre s'il avait faim ou s'il fallait changer sa couche. La

---

III. En français dans le texte.

plupart du temps cependant, la vie le comblait. Quel cadeau il était pour le monde. Quel cadeau il était pour moi.

Malheureusement, la douleur dans ma tête a explosé après sa naissance. En effet, il s'était produit un éveil en moi la nuit où Olivier était né. Avec son esprit qui brillait dans ses yeux, Olivier avait ouvert mon cœur tout grand, m'apportant la paix et la joie et mettant en lumière un chemin très différent. Un chemin où *penser* et *agir* avaient été supplantés par *ressentir* et *être*. Il était parfaitement clair que mes plans bien conçus n'étaient pas assez souples pour ce que mon cœur désirait. Mes tentatives pour intégrer cette conscience élargie à ma vie ont donc engendré plus de pression dans mon corps, plus de douleurs dans ma tête. Mes corps physique et émotionnel ont crié encore plus fort, exigeant mon attention.

J'ai consulté mon médecin de famille. Elle m'a envoyée chez un allergologue et un radiologiste. Ils n'ont pas réussi à trouver quelque chose qui clochait chez moi. Elle m'a prescrit des vaporisations nasales, d'autres antibiotiques et des analgésiques. Quoi qu'il en soit, le problème n'a pas disparu. Je me suis éloignée de la médecine traditionnelle et j'ai commencé à consulter un chiropraticien et un naturopathe. J'ai pris des suppléments, changé mon alimentation et commencé à faire du yoga. Toutes ces choses m'ont aidée un peu en atténuant l'intensité de la douleur, mais ce n'était que pour la sentir revenir un ou deux jours après.

J'ai commencé à voir une merveilleuse massothérapeute qui était aussi une incroyable guérisseuse en Reiki. Durant ces rendez-vous, je me sentais enveloppée dans un chaud édredon d'amour et de sécurité. Je remarquais toujours après que mon humeur s'était améliorée et que j'étais moins morose. Pourtant, chaque matin à mon réveil, la douleur était là. Après que je l'ai eu consultée régulièrement durant toute une année, cette massothérapeute m'a dit : « Anne, il y a certaines choses avec lesquelles vous devez juste apprendre à vivre. » J'étais anéantie.

J'utilisais mon cerveau pour penser, écrire et planifier, c'était ce que je *faisais*. Je ne pouvais pas le faire avec un organe de réflexion qui faisait tout le temps mal. J'étais presque au bout du rouleau, vaincue. Au fond de moi, une voix a dit : « Ce n'est pas une chose avec laquelle tu dois vivre. Ta vie n'a pas nécessairement à être définie par la douleur. » Le seul problème était que je ne savais pas quoi essayer d'autre, pas plus que je ne savais vers qui me tourner ensuite.

Quand Olivier a eu un an, je combattais une petite dépression post-partum et j'essayais de la tenir à distance et de me convaincre que ce n'était pas ce que j'avais, que j'étais heureuse, mais j'étais tout le temps triste. Je me souviens que quelques semaines ont passé durant lesquelles j'ai pleuré tous les jours. Je n'avais jamais ressenti pareille tristesse avant. C'était presque comme si je pleurais sans raison – du moins sans raison que je pouvais comprendre ou saisir.

Ce qui empirait la situation était que j'avais une routine qui n'aidait pas du tout. Après avoir mis Olivier au lit tôt dans la soirée, j'ouvrais une bouteille de vin. Quand Paul rentrait après avoir travaillé tard au restaurant, j'avais déjà bu la moitié de la bouteille. Je ne voulais pas qu'il voit mon côté sombre et le vin semblait masquer mon humeur véritable. Il émoussait aussi la douleur.

Après quelques mois de ce comportement, j'ai eu un examen de routine avec mon médecin de famille et elle m'a demandé de remplir un questionnaire. Je sais maintenant que ces questionnaires sortent après l'accouchement pour détecter les nouvelles mères qui ont les bébés blues ou sont en dépression et les aider. Une des questions était : « Combien de verres buvez-vous par semaine ?» Comme nous étions dans le domaine de la restauration haut de gamme, il n'y avait pas de soir où nous ne buvions pas, en fait. Je ne m'étais pas rendu compte à quel point je buvais jusqu'à ce que j'aie à faire le compte du nombre de verres que je buvais par semaine !

Le même soir, je n'ai pas bu et quand Paul est rentré à la maison, je lui ai parlé. Je lui ai confié que je me sentais triste et que je pleurais beaucoup depuis maintenant un bon moment. J'avais honte de ne pas être capable de gérer ma vie. J'avais l'impression que je n'étais pas une bonne maman, une bonne épouse, une bonne mère. Je me décevais. Les plans que j'avais faits et que je voulais mener à terme étaient mis de côté à cause de cette douleur et de cette tristesse. Je n'ai pas avoué tous ces sentiments à Paul. Je lui ai juste dit que je ne savais pas exactement pourquoi j'étais triste.

Je me rappellerai toujours sa réaction. Il m'a confié qu'il avait vécu une dépression quand il était adolescent et qu'il avait lui aussi été dans certains coins assez sombres. Il a dit : « Ce n'est pas mal d'accepter que tu es déprimée. Si tu résistes au sentiment, ça ne fera qu'alimenter le problème. Accepte d'être triste et de ne pas savoir pourquoi.»

J'ai inspiré profondément et en expirant, je me suis mise à pleurer dans ses bras. C'était un sentiment terriblement étranger. Je n'aimais pas cela mais au moins je n'étais plus seule.

CHAPITRE 11

Où est la sortie ?

────── ⚬⚭⚬ ──────

J e ne comprenais pas exactement de quoi la journée serait faite
mais le titre de l'atelier m'avait attirée. Il s'intitulait *Women
in Leadership*, était présenté par le WEL-Systems Institute et
plaisait à mon ego. Je me sentais privilégiée d'être invitée et
considérée en quelque sorte comme un chef de file. Au collège
des enseignants, j'avais fait une majeure en leadership et passé
mon stage pratique à observer le directeur d'une école privée
en Californie. Je croyais que je serais directrice un jour, la
«cheffe» des enseignants !

Diriger avait toujours été naturel pour moi. Enfant déjà,
j'avais été celle qui organisait des courses et montait des pièces
de théâtre et des spectacles de variété avec les autres enfants
de mon quartier. Il y a un enregistrement de moi qui mène mon
frère par le bout du nez quand j'avais 5 ans et qu'il en avait 2,
où je dis «toro, toro» et exige qu'il fonce dans ma couverture
rouge comme un taureau. Je voulais en apprendre plus sur cette
histoire de leadership et sur l'application que je pourrais en
faire dans ma carrière. J'étais loin de me douter que cet atelier
particulier n'avait rien à voir avec le type de leadership que je
connaissais. En fait, si j'avais su ce qui allait vraiment se passer
ce jour-là, je n'y serais jamais allée.

L'animatrice, Louise LeBrun, a ouvert la journée en parlant d'un type de leadership très différent de celui que je connaissais et auquel je m'attendais. J'ai tout de suite été agacée. Elle parlait du leadership venu de l'intérieur qui nous permet de renouer avec un profond savoir intime vivant dans les cellules de notre organisme. Cette forme de leadership s'appuyait sur la façon créative, biologique et sacrée dont les femmes procèdent pour diriger. Elle puisait aux dons et aux sensibilités du féminin. Elle exigeait de nous que nous soyons très en contact avec notre vulnérabilité et nos émotions.

À mesure qu'elle parlait, certaines femmes autour de moi se sont mises à pleurer. J'étais horrifiée. Pour moi, ce genre d'effusions émotives était réservé pour les moments en privé ou avec un ami de confiance. Or, ces femmes ne semblaient pas se soucier de se montrer vulnérables devant des inconnues. Par ailleurs, leurs larmes n'ont pas du tout décontenancé Louise. Elle a simplement intégré l'importance d'exprimer des émotions authentiques dans ce qu'elle disait.

Mon irritation a grandi, mon mental tournait à toute allure. Je ne m'étais pas inscrite pour cela. J'ai parcouru la pièce des yeux pour repérer la sortie afin de pouvoir partir mais il ne semblait jamais y avoir de pause naturelle dans la conversation. Je ne voulais pas être là, encore moins écouter. Cependant, comme mon conditionnement social adhérait à des règles très ancrées pour ce qui était d'interrompre le professeur, je suis restée. Je suis restée assise, furieuse et ne disant rien, agacée et ne disant rien, avec cette pression qui augmentait dans mon corps, surtout dans ma tête. J'avais d'ailleurs l'impression qu'elle allait exploser.

Comme si elle savait ce qui se passait, Louise s'est mise à parler de l'importance d'être fidèle à ce que nous ressentons au présent et de respirer profondément dans notre senti. Elle nous a parlé de nous rappeler le leader véritable que nous sommes, pas en passant par notre intellect mais par un endroit profond dans le corps. Elle a parlé de l'importance d'être honnête avec nous-même et de laisser la vérité de la blessure du passé que nous portons être reconnue et guérie dans le corps. La respiration était la clé de ce processus.

Alors que mon esprit était en pleine révolte, mon cœur écoutait très attentivement et absorbait chaque mot. Il voulait que ce soit son tour de mener et il a brusquement saisi l'occasion. La pression et la douleur dans ma tête ont atteint un sommet. D'ordinaire, je retenais ma respiration, j'avalais deux ou trois fois et je quittais la pièce quand je me sentais comme cela. Comme je ne pouvais pas partir, j'ai retenu ma respiration mais cela n'a fait qu'augmenter la pression. Tout cet exposé sur la respiration m'a finalement fait faire quelque chose qui allait complètement à l'encontre de mon intuition.

J'ai inspiré profondément.

Cela a fait qu'une boule dure s'est formée dans ma gorge. Et on aurait dit que cette boule était en feu. Je ne pouvais plus avaler. J'ai fait un effort pour inspirer profondément encore une fois et cette fois le bruit de mon souffle a sonné comme celui d'un animal étrange à l'agonie. Le passage de l'air dans ma gorge s'amenuisant de plus en plus, j'ai paniqué comme je l'avais fait la nuit de l'accident, quand mes poumons s'étaient affaissés. Cette panique s'est vite intensifiée et j'ai senti que je revivais un évènement dont je n'arrivais pas à me souvenir. J'avais peur et je me sentais impuissante.

Louise est venue me voir et s'est mise à guider ma respiration en m'encourageant à l'approfondir. Elle ne semblait pas trop préoccupée de voir que j'étais incapable de respirer. Elle avait une présence bien ancrée et des yeux rassurants. Elle n'essayait pas de diriger le déroulement de l'expérience. Elle se contentait d'*être* avec moi. Suivant son conseil de me faire confiance et de me fier à ma capacité de passer au travers de ce qui arrivait, peu importe ce que c'était, j'ai inspiré encore une fois. Avec cette respiration, j'ai inspiré un sentiment de courage irrationnel et de fol abandon. C'était comme si je tombais sur le dos dans les bras de mon cœur, n'ayant d'autre choix que d'avoir confiance que je trouverais le moyen de m'attraper.

Avec cette respiration, des larmes que je ne pouvais pas dominer et qui venaient du tréfonds de mon être ont jailli hors de moi. Je n'avais jamais vécu ce genre de chose parce que je ne me serais jamais laissée aller aussi loin, «hors de contrôle». Mon cœur avait pris les commandes de mon être et je me suis retrouvée dans un gros chaos brûlant de morve et de pleurs étranges. Ce n'était pas joli, ni délicat, ni élégant. *Jamais* le genre de chose que je ferais en public devant des personnes que je ne connais pas vraiment. Mais j'en étais là, émotionnellement nue et vulnérable. Mon corps tremblait et frémissait. J'avais chaud, je me sentais engourdie, j'avais froid.

Après quelques minutes, mon corps s'est stabilisé et je me suis sentie apaisée.

J'avais l'impression qu'un poids énorme avait été ôté de ma gorge et de ma tête. Mon corps se sentait léger et j'étais remplie d'un sentiment de paix incroyable qui m'est resté durant des semaines. Je pouvais respirer mieux que jamais.

J'ai compris ce jour-là à quel point j'avais honte de montrer ma vulnérabilité et d'exprimer mes émotions. Mais surtout, j'ai découvert que l'emprise que j'exerçais sur les facettes de ma personnalité et les aspects de ma vie, y compris ma vie émotionnelle, m'avait empêchée de ressentir cette honte et ces émotions refoulées toujours vivantes en moi. Ces émotions refoulées me dominaient, m'empêchaient de me sentir libre dans mon être. Mais à présent elles s'étaient fait montrer la sortie.

C'était la première fois que j'accordais une attention aussi profonde à mes émotions et j'étais complètement prise de court. Je ne savais pas que ces émotions vivaient dans mon corps et que le remède n'était pas vraiment d'essayer de les comprendre avec mon intellect. Je ne savais pas que ma santé physique était reliée à mes émotions. En revanche, je savais que lorsque j'étais vraiment triste ou en colère à propos de quelque chose durant assez longtemps, j'avais tendance à tomber malade. Mais je découvrais aussi que j'avais accumulé des couches et des couches d'expériences dans mon corps, lesquelles n'avaient pas été examinées et assimilées et y engendraient une pression énorme.

CHAPITRE 12

Trouver la mère

« Si c'est une fille, je la jette à la poubelle. »

L'accouchement de ma mère avait été difficile ; elle avait voulu sauter par la fenêtre dans la nuit sombre et neigeuse de janvier. Mais bien entendu, les femmes ne pensent pas tout ce qu'elles disent quand elles sont en travail. Et dès que je suis née, elle a ressenti de la fierté et a voulu me protéger du monde. Elle m'appelait son précieux rayon de soleil. À sa manière, elle m'aimait autant qu'elle le pouvait.

Avec le recul, je crois toutefois qu'à ce moment, ma mère a révélé une vérité qui planait dans les ombres de notre ascendance familiale. Quelque chose de tacite avait été transmis de génération en génération : une croyance, aussi subtile qu'un fil solitaire dans une tapisserie et pourtant aussi puissante qu'un gène mutant introduit en douce dans notre ADN.

Au fait, je suis née avec le cordon ombilical enroulé autour du cou, incapable de crier. C'était à l'hiver 1978.

Quand cette souffrance a-t-elle débuté ? Quelle a été la blessure originelle qui a pu faire qu'une femme ne veuille pas de fille? Je n'ai pas connu mon arrière-grand-mère mais ma grand-mère a peut-être fourni des indices. Grand-maman était un garçon manqué ; elle était entraîneur de hockey et n'avait jamais vraiment voulu avoir d'enfants et certainement pas des filles. Quoi qu'il en soit, elle avait trois filles et deux fils. Elle ne semblait pas avoir d'instinct naturel pour s'en occuper et être tendre. Elle avait un esprit incroyable mais le souper consistait souvent en une boîte de maïs en conserve même pas ouverte qu'elle laissait tomber sur la table en quittant la maison en courant pour une pratique ou une partie. On m'a raconté qu'elle souffrait énormément des sinus. On m'a raconté qu'elle n'était pas du genre à aimer inconditionnellement. Cela allait colorer la compréhension que ma mère avait de l'amour.

Quand je pense à ma propre relation avec la féminité, je peux voir des indices de ce fil mystérieux dès le début de ma vie. Quand j'étais fillette, ma mère m'habillait plus souvent en garçon et gardait mes cheveux courts. Je n'avais pas d'amies avec qui j'aurais pu jouer à la poupée ou parler des garçons. En fait, mon meilleur ami en grandissant était un garçon prénommé Nicolas. Quoique je ne l'aie pas su à l'époque, Nicolas était *gay*. Nous ne nous voyions mutuellement pas comme un objet de désir et nous étions libres des rôles et des attentes relevant de notre sexe quand nous nous amusions dans la forêt à ramasser des mousses, grimper aux arbres et parler aux fées sous la pluie.

Quand j'ai eu 11 ans, nous avons déménagé dans une ville exploitant une mine d'amiante et j'ai dû laisser derrière Nicolas et ma forêt. La réalité de la préadolescence m'est tombée dessus avec toutes les formes qu'elle prend d'ordinaire. Les relations amoureuses étaient une langue étrangère que je n'avais pas envie d'apprendre. J'avais très peu d'amies. Je ne me retrouvais pas dans leurs priorités ou leurs intérêts. Néanmoins, parce que j'étais bonne en sports, j'ai pu me faire une place comme « un des gars ».

Je détestais vraiment avoir mes règles. Ce n'était rien de plus qu'une ponction malvenue sur mes performances athlétiques. Je voulais que mon corps soit capable de faire ce que je voulais qu'il fasse quand je le voulais. L'aspect émotionnel a probablement été le pire. Durant une semaine, une fois par mois, j'étais incapable de maîtriser mes pensées, mes paroles ou mon humeur. Je devenais quelqu'un que je détestais. Je n'aimais pas être une fille.

Avance rapide jusqu'à 26 ans. J'étais sur le point de changer de nouveau d'identité, sur le point de devenir mère et épouse la même année. La vie m'avait de nouveau bénie en me faisant comprendre que je n'avais encore appris que très peu de choses à son sujet. J'avais résisté à chaque étape en participant au miracle de la création d'un être humain. Je ne voulais pas que ma vie change mais voilà que je vomissais tous les jours pendant que ma productivité sortait par la fenêtre. Je craignais qu'en agissant «comme une femme», je perde ma capacité à *faire* les choses, à accomplir ce que je voulais accomplir. J'avais extrêmement peur de ne plus avoir la main haute sur ma vie.

Quel genre de mère ou de matriarche est-ce que je serais? Lorsque mon fils a eu un an, j'avais compris que mon manque de disponibilité émotionnelle n'était pas une façon saine d'élever un enfant. Olivier aimait l'aventure de la vie. C'était inspirant de voir à quel point il était libre et exubérant dans l'expression de ses émotions, à quel point il était proche de ses désirs et de ses besoins – âme splendide exprimant sa force de vie sans inhibition. Quand il était triste ou bouleversé, il pleurait. Quand il pleurait, je sentais mon corps se contracter et se fermer. Je devenais impatiente, parfois même en colère. Je voulais le protéger de cette énergie d'impatience et de colère – il était évident qu'il n'avait rien à voir avec cela, c'était mon problème à moi. Je ne voulais pas le projeter sur lui mais je ne voulais pas le refouler non plus. Je savais qu'il y avait autre chose en moi dont je devais m'occuper et je voulais travailler sur mes émotions pour mon bien et le sien. Je suis donc allée faire un autre atelier avec Louise.

C'était un atelier de cinq jours et j'étais prête à plonger profondément cette semaine-là. J'avais confiance en mon mentor et je savais que j'avais un gros bagage émotionnel qui me venait de mon passé. Je me suis engagée à garder l'esprit et le cœur ouverts durant toute la semaine. Pendant que j'étais assise à respirer profondément en tournant mon attention vers mon for intérieur, j'ai été traversée par des vagues et des vagues de guérison qui ont libéré de vieilles croyances mortes, dont la plupart étaient reliées à des évènements de mon enfance. Je n'avais jamais été consciente de mon corps intérieur à ce point avant. Assise dans le groupe, j'entendais les bruits que faisait mon estomac. Plus je projetais mon attention et mon souffle dans cette partie de mon corps, plus les gargouillements devenaient audibles. C'était comme si je n'avais pas tenu compte de mon ventre intérieur depuis si longtemps que maintenant que je lui prêtais attention, il était emballé de me dire tout ce qu'il voulait me dire depuis tout ce temps.

En fin de compte, les gargouillements se sont tus mais j'ai continué à respirer profondément en gardant mon attention sur la partie inférieure de mon corps. De l'excitation m'a été communiquée mais aussi de la tristesse. J'ai senti le mouvement des gaz dans mon intestin. J'ai senti des papillons dans mon estomac sans raison apparente. J'ai senti de la chaleur; j'ai senti l'énergie. C'était une expérience kinesthésique qui m'a pourtant semblé incroyablement sacrée et aimante. J'avais le sentiment d'être pleinement vivante au cœur de mon corps et je ne dirigeais pas du tout l'expérience sauf en étant présente à ce qui se passait, comme Louise avait été présente à ce que je vivais dans l'atelier précédent. C'était moi *étant* simplement moi et les sensations et les mouvements venaient d'eux-mêmes.

À travers cette expérience avec mon ventre, mes deux parents sont montés à ma conscience. À l'époque, notre relation était tendue, surtout avec ma mère. Quand j'avais quitté la maison à 17 ans, j'étais prête à m'affranchir de ce qui m'avait semblé être un trop grand contrôle. J'avais délibérément choisi un programme scolaire qui n'était pas offert dans ma ville, assez loin pour que je sois obligée de partir vivre seule. C'était difficile de revenir et de leur rendre visite parce que chaque fois, nous finissions par nous disputer. Je ne voulais pas que notre relation soit comme cela. Je voulais les apprécier et qu'ils m'apprécient.

Nous étions à la moitié de l'atelier et nous parlions des dynamiques familiales et de l'héritage que les figures d'autorité ont laissé dans la « configuration » de nos corps quand j'ai commencé à sentir des nœuds douloureux dans mon estomac. Quand mon temps de partage est arrivé, j'ai essayé de parler mais je n'ai pas pu. Même si j'avais pu former des mots, je ne sais pas ce que j'aurais dit : j'avais l'impression d'être une histoire sans contenu. En revanche, mon corps s'exprimait. J'ai tourné mon attention sur la douleur dans mon ventre, inspiré profondément et essayé de laisser mon corps faire le travail. Un grand mouvement d'énergie l'a traversé et quitté, accompagné de pleurs et de tremblements.

J'avais touché quelque chose de gros et je ressentais le besoin de m'en occuper. Quand nous avons fait une pause pour déjeuner, j'ai présenté mes excuses au groupe et je suis partie en direction d'un petit cottage au bord de l'océan où je savais que personne ne m'entendrait. Mon ventre était en feu. Quelque chose avait besoin de sortir.

Assise toute seule dans le petit cottage, je me suis mise à parler à ma mère, la première personne à me venir à l'esprit. Je lui ai parlé tout haut, même si elle n'était pas là. Je lui ai parlé en français, ma langue maternelle, la langue que je parlais quand mes expériences de la prime enfance avaient été configurées dans mon corps.

J'imaginais ma mère debout devant moi à l'autre extrémité de la pièce. Je lui ai parlé comme à une égale et je lui ai exprimé l'amour que j'avais pour elle en même temps que toute la colère et la tristesse que je refoulais en moi par rapport à notre relation. Cela m'apparaissait étrange et mesquin, et ma bouche, ma mâchoire, ma gorge, mon cou et mon ventre étaient très tendus et crispés. Tant de choses étaient restées non dites durant ma vie et même si je ne les lui dirais pas en face, il fallait que j'essaie. Plus je m'ouvrais, plus de nouveaux renseignements montaient à la surface, pas sous forme de pensées mais plutôt de souvenirs en images ou en émotions. Je les accueillais, je les ressentais, je leur parlais et je laissais mon corps faire le reste.

La colère s'est changée en tristesse, la tristesse s'est changée en reddition, la reddition s'est changée en acceptation et l'acceptation s'est changée en compassion. Chaque couche mettait à jour un autre souvenir et je lui parlais à voix haute. J'essayais de rester proche du senti de mes émotions et de ne pas aller dans mon esprit cartésien ou dans l'histoire de l'émotion. Je maintenais mon attention et ma respiration très près des sensations dans la partie inférieure de mon corps, sachant qu'elles étaient la clé de ce processus, de ma guérison. En fin de compte, le processus allait révéler des choses depuis longtemps disparues de ma mémoire consciente.

À mesure que ces couches se révélaient et disparaissaient, j'écoutais ma voix se transformer en voix d'adolescente puis finalement en voix d'enfant. Plus je plongeais dans l'expérience de l'enfance, plus ma voix devenait vulnérable, un cri sans retenue. Les mots aussi sont devenus plus puérils, plus simples et plus sincères. Ma voix tremblait parfois quand la petite fille en moi demandait ce qu'elle voulait : de l'attention, être vue, reconnue, validée, sentir qu'elle avait de l'importance.

« Tu me vois ? Est-ce que tu me vois ? Je suis là. Embrasse-moi, sert-moi [sic] *dans tes bras. Je veux que tu sois là, je te veux. J'ai besoin de toi*[2].»

Je pouvais sentir la tension dans ma mâchoire et le feu dans ma gorge. J'avais de plus en plus de mal à prononcer les mots si longtemps refoulés. En prenant de grandes respirations, j'ai senti l'énergie se répandre dans mon visage, mes lèvres, mes oreilles, mes mâchoires, ma tête, ma gorge et mon cou. J'ai senti mon visage et mes lèvres perdre toute sensation. De la chaleur a jailli du sommet de ma tête puis du froid est arrivé en dévalant mon corps comme une cascade. C'était comme si l'énergie refaçonnait mon corps, ma chair même, avec ce mouvement.

En continuant de remonter le temps, je me suis souvenue du moment où j'avais commencé à appeler ma mère par son prénom. J'avais six ans et mon frère cadet et moi planifiions de donner un petit spectacle de variétés aux invités qui venaient dîner. Nous divertissions toujours les invités qui venaient à la maison avec des pièces de théâtre et des spectacles de chansons. Nous voulions que notre mère nous aide à faire quelque chose. Excités et bruyants, nous nous acharnions dans nos efforts pour attirer son attention en répétant *« maman, maman, maman, maman, maman !*[IV] » sans arrêt comme le font les enfants quand ils veulent attirer l'attention d'un adulte.

Ma mère a perdu patience, probablement rendue anxieuse par la pression de préparer la maison pour ses invités. Elle m'a mis les mains autour du cou en criant : «Calme-toi et arrête de m'appeler maman !» Quand elle a repris contenance, elle nous

---

IV.   En français dans le texte.

a calmement demandé à mon frère et à moi de l'appeler par son prénom à l'avenir.

Je ne peux pas condamner ma mère pour sa réaction. Elle était confrontée à des émotions qu'elle ne comprenait pas.

Elle célébrerait par la suite cette nouvelle politique comme étant une bonne chose, plutôt progressiste. Elle voulait que nous soyons indépendants et autonomes ; changer le nom que nous lui donnions contribuerait peut-être à définir une relation plus égalitaire. C'était l'époque où l'on élevait les enfants comme de petits adultes indépendants et elle a fait ce qu'elle croyait être le mieux.

Dans le cottage ce jour-là, essayer de dire *maman* était comme essayer de faire passer des barbelés par ma gorge. C'était atroce. Le mot me collait au palais et m'étouffait. J'ai continué de respirer profondément, mon souffle ancré profondément au fond de mon ventre, et j'ai répété le mot *maman* jusqu'à ce que je me sente forte et enracinée en le disant. Je me le réappropriais comme un besoin qui ne m'avait jamais quittée : besoin d'intimité, d'affection, de sécurité émotionnelle, de pertinence, d'attention, besoin d'être vue et entendue.

J'ai continué de remonter le temps jusqu'à l'époque où ma mère me tenait dans ses bras quand j'étais bébé. J'ai vécu dans mon corps adulte actuel la *sensation* d'être tenue et cajolée par ma mère. D'autres larmes sont montées mais cette fois, c'était des larmes de joie, d'amour et de tendresse. Une autre vague d'eau vive a inondé mon corps tout entier comme pour refaçonner ma chair et intégrer dans mon système nerveux le profond souvenir que je suis aimée, que je suis soutenue, que je suis assez bien, que je suis en sécurité. C'était maman. Je l'avais trouvée en moi.

Après, je me suis endormie. À mon réveil, j'ai eu l'impression de m'éveiller d'un rêve et d'être une nouvelle personne. Mon corps me paraissait différent, plus enraciné et plus léger. Je me sentais l'esprit clair et le cœur en paix. Je ressentais énormément d'amour et de compassion pour ma mère.

À ma grande joie, mes douleurs aux sinus avaient disparu pour de bon à la fin de l'atelier d'une semaine. En réalité, cela n'avait jamais été une affaire de sinus. Tout cela concernait des émotions non résolues et des souvenirs et mes sinus étaient un vecteur, une expression tangible qui tentait de m'en informer.

À présent que la douleur chronique est partie, je vois les sensations occasionnelles dans mes sinus comme un cadeau, un baromètre spirituel. Un petit picotement indique que je suis en train de résister au changement ou que je m'accroche aux émotions et que je m'agrippe trop à ce qui n'est pas vraiment à moi. Quand je ressens cela, je me dis de respirer, de donner du mou, de rendre les armes, de lâcher prise et d'arrêter de résister aux émotions engendrées par les changements à venir.

Une des plus belles conséquences de cette expérience est venue sous la forme d'une conversation que j'ai eue au téléphone avec ma mère, bien des jours après. Elle avait changé ! C'était comme si je parlais à une nouvelle personne, comme si elle avait été dans le cottage avec moi, guérissant elle aussi. En l'écoutant, j'ai remarqué que je ne me sentais pas dominée ou «déclenchée» par ce qu'elle disait. Se pouvait-il que nous soyons à ce point reliées ? Le travail que j'avais fait ce jour-là pouvait-il avoir eu un effet sur elle à 1 200 kilomètres de distance ?

Ce qui s'était passé dans le cottage avait changé des aspects d'elle qui vivaient en moi – des aspects de cette relation qui ne me servaient plus. J'avais changé ma réalité intérieure et ma réalité extérieure avait suivi. Je ressens tellement d'amour et de compassion pour ma mère aujourd'hui. Nous avons une relation incroyable et nous nous soutenons mutuellement dans notre cheminement.

CHAPITRE 13

Thèse sur fond de vin et fromage

P eu de temps après l'atelier et ma conversation avec ma mère dans le cottage, je suis retournée à l'ordinateur pour continuer de rédiger ma thèse. Mes douleurs aux sinus n'étaient plus un problème. Cependant, je faisais face à une nouvelle difficulté : le désengagement. Le sujet sur lequel j'écrivais ne m'intéressait plus du tout. Du tout ! C'était difficile à accepter, surtout après y avoir investi de nombreuses années.

Au départ, suivant le conseil de ma directrice de thèse, j'avais choisi un sujet qui faisait du sens, stratégiquement parlant, par rapport à mon désir d'être un jour professeure. En effet, certains sujets avaient de meilleures chances de mener à un poste du genre. Mais j'avais à présent autre chose à partager. Je ne savais pas exactement encore ce que c'était mais je savais que ce n'était pas ce sur quoi j'avais écrit jusque-là. Par ailleurs, il était devenu clair que si j'essayais encore une fois de plier mon écriture – mon être – au cadre universitaire comme je l'avais fait avant, je risquais un autre épisode de douleurs aux sinus. Je pouvais le sentir. Mon corps m'avait montré ce que cela faisait d'être dans le flux et la créativité pure et maintenant j'en voulais davantage.

J'ai donc fait une pause de quelques mois dans la rédaction de ma thèse et entrepris de m'appliquer à *être*, tout simplement. Je me suis exercée à *ressentir* ce que voulait dire *être* dans mon corps et à réapprendre à connaître cet instrument biologique qui avait surtout été utilisé jusque-là comme contenant pour véhiculer mon cerveau. C'était une mise en pratique radicale : *être* avec mes émotions, avec mon corps intérieur et avec la sensation de l'énergie circulant en moi.

Mon fils Olivier était un maître formidable. Il excellait à *être* en toute simplicité puis à *ressentir* et à exprimer ce qui montait, peu importe, sans le censurer : il le laissait simplement passer à travers lui. Il n'avait pas besoin d'essayer, il était naturellement ainsi. C'était encore plus thérapeutique pour moi d'*être* avec lui en silence, de le suivre dans la maison et dans la nature et de voir où son cœur le menait, sans diriger l'expérience. Je respirais profondément dans la joie que je ressentais en moi à le voir découvrir le monde avec émerveillement, avec toutes ses questions. Je respirais profondément dans le désir ardent que j'avais dans mon corps d'*être* cette belle simplicité.

Au cours des mois qui ont suivi, j'ai passé beaucoup de temps à *être* et à *ressentir*. Je voulais qu'*être* et *ressentir* au moment présent deviennent une façon de vivre et ne soient pas seulement appliqués dans les ateliers. Je me disais que si je vivais de cette manière, il n'y aurait pas de limites à la paix et à la joie que je pourrais vivre. Je redécouvrirais aussi qui j'avais été autrefois avant que toutes les inhibitions s'installent. C'était merveilleux de passer du temps avec Olivier mais je m'assurais aussi de passer du temps seule. J'avais engagé une gardienne quelques jours par semaine pour pouvoir m'exercer à l'art d'être. J'en avais les moyens financièrement parce que dans un rebondissement synchrone, j'avais reçu un règlement pour l'accident d'automobile.

Avec tout ce temps disponible, j'ai commencé à remarquer le ton critique de mes pensées. Je n'avais jamais vu que je me critiquais et que je critiquais les gens en esprit avec tant de sévérité. C'était constant. J'ai donc entrepris de modifier légèrement mon discours. Chaque fois que je portais un jugement sur quelqu'un, je changeais son nom ou le pronom *il* ou *elle* pour le pronom *je*. De cette manière, je retournais le jugement sur moi pour élargir son contexte afin qu'il m'inclut aussi. Par exemple, si je pensais *cette personne est tellement malhonnête*, je changeais cette pensée pour *je suis malhonnête* et j'examinais ma vie pour voir de quelle manière j'étais malhonnête, avec les autres ou avec moi. Je ne me jugeais pas ; j'observais simplement le phénomène avec curiosité et dans l'idée de me libérer de ce jugement intérieur. J'explorais mes aveuglements et les schémas de pensées limitatives de mon ombre ou mon inconscient. Après un moment, les voix promptes à juger se sont calmées.

Durant cette période, je m'asseyais, je respirais et je regardais ce que mon corps avait à me dire. J'écoutais avec patience et tendresse. Par ailleurs, je m'autorisais à faire tout ce que je me sentais inspirée de faire ou appelée à faire. La plupart du temps, c'était une activité créative comme peindre ou écrire de la poésie. D'autres fois, je me rendais compte à quel point j'avais accumulé de la fatigue et je dormais.

Ce n'était pas facile de m'autoriser ce cadeau de temps et d'espace. Je me sentais coupable de ne pas être productive, surtout comme nouvelle mère et doctorante. Mais je sentais vraiment que c'était essentiel si je devais vivre totalement selon la vision de mon âme, dont j'avais eu un aperçu le jour de l'accident de voiture. Je savais aussi qu'étant donné ma personnalité ambitieuse de Capricorne, cela ne durerait pas éternellement.

Après que j'ai eu passé quelques mois à *être* simplement présente à mon corps et à ses émotions et sensations, il était temps de revenir à ma thèse. J'en étais à peu près aux trois-quarts et je voulais vraiment la finir. Je voulais toujours être professeure. Cependant, mes mois de contemplation silencieuse et d'écoute intérieure avaient très clairement établi que je ne pourrais plus m'investir dans quelque chose qui ne m'inspirait pas de passion.

Jusque-là, ce que j'avais rédigé avait été alimenté par mon intellect et mon autodiscipline. J'étais maintenant en territoire inconnu et mon corps et mon cœur semblaient avoir une autre opinion quant à la direction que ce projet allait prendre. Le constat était intéressant. Peu importe ce que mon intellect voulait, si mon corps et mon cœur avaient un autre programme, je ne pouvais pas ne pas le prendre en compte.

Une voix très forte et très persuasive, celle de mon intellect, exigeait que je me ressaisisse : que je maintienne le cap, que je me calme, que je me concentre sur le travail et que je finisse comme j'avais commencé. Après tout, c'était possible. Cependant, je savais que j'en paierais le prix. Je savais que la douleur reviendrait dans mes sinus et que cette paix et cette *joie de vivre*[V] nouvellement redécouvertes seraient remplacées par la manifestation physique du stress et de l'anxiété. Je n'étais pas prête à courir ce risque.

J'ai donc décidé de considérer la littérature que j'étais en train d'étudier d'un point de vue complètement différent. J'aimais profondément l'auteure Ying Chen et ses livres. Je voulais exploiter mon amour et ma passion pour sa vie et la vie de ses personnages. Je ne pouvais plus feindre de l'intérêt pour les théories abstraites qui décodent supposément l'œuvre de cette merveilleuse artiste.

Ying Chen écrit avec beaucoup d'introspection et une sensibilité incroyable pour les subtilités de l'art et de l'esprit. Ses personnages semblent connaître le secret de la vie : ils sont

---

V.   En français dans le texte.

capables de créer leur réalité par leurs souhaits et leurs désirs. Parfois, ils créent des réalités qu'ils apprécient et parfois, ils se retrouvent dans une impasse ou pire. Comme j'étais curieuse de ce processus, j'ai décidé de laisser cette inspiration guider ma rédaction de la quatrième et dernière partie de ma thèse. J'ai changé de point de vue, passant d'une approche tout à fait littéraire à une approche fondée sur l'accomplissement de soi. J'ai étudié l'œuvre de Ying Chen du point de vue de l'*autopoïèse*, un mot qui possède des racines à la fois biologiques et littéraires.

C'était un concept nouveau et une nouvelle façon de considérer l'œuvre de Ying Chen qui n'avait jamais été appliquée avant. C'était un risque mais j'étais inspirée. Je n'avais aucun moyen de savoir comment cela serait reçu par ma directrice ou par le comité qui accepterait ou rejetterait finalement ma demande d'être reçue au doctorat.

Notre fille Hanalei est née quatre mois avant que je défende ma thèse. Elle est arrivée en ce monde exactement de l'autre côté du zodiaque par rapport à notre garçon. Si Olivier était ma Lune, Hanalei était mon Soleil. La nuit de sa naissance, elle a clamé son arrivée haut et fort à tous ceux qui étaient présents. En prenant dans mes bras cette force d'âme fougueuse, j'ai su qu'elle serait pour moi un maître d'un tout autre genre. Accompagnée de la puissante énergie de sa « présence », j'ai terminé ma dissertation.

À l'université de Bordeaux, la coutume veut que l'étudiante fournisse des rafraîchissements au comité lors de sa soutenance de thèse. C'était certes nouveau pour moi, un petit renseignement rapporté par une secrétaire le jour même de ma soutenance. Paul et moi nous étions donc précipités pour monter un goûter digne de l'occasion. Nous avions préparé notre petit buffet et Paul s'était éclipsé par la porte de derrière pour distraire notre fille nouveau-née tandis que j'attendais pour faire face à la musique. Tandis que les membres du comité remplissaient leurs verres et leurs assiettes de notre offrande de vin, de fromage et de pâtisseries à 3 heures de l'après-midi, cet en-cas a suscité quelques gloussements et ricanements. « Comme c'est délicieusement américain ! »

En effet, en dépit du stéréotype, les Français ne mangent apparemment presque jamais ces aliments ensemble. Après toutes ces années d'étude, j'ai eu un bref mouvement de recul à l'idée que ce faux pas pourrait causer ma perte. Quelle était vraiment l'importance de cette dégustation ?

Au moment de ma soutenance, ma directrice, madame Piccione, a remarqué le changement de voix et de ton dans la quatrième partie de ma thèse. Elle a fait remarquer aux autres membres du jury que même si l'approche était extrêmement inhabituelle, elle ne l'en avait pas moins jugée rafraîchissante. Elle appréciait les sensibilités inhabituelles de sa disciple canadienne-française. Et j'ai été reçue au doctorat.

CHAPITRE 14

Un voyage chamanique

L a porte de l'avion s'est ouverte dans un effort. Comme s'il
s'agissait du poumon d'une formidable bête vivante, la
cabine a expiré avec excitation son souffle climatisé en faveur du
riche air tropical. Un mélange exotique de parfums, de chaleur
et d'humidité l'a remplacé. C'était comme si nous avions atterri
sur une autre planète, peut-être même dans une autre dimension.
J'ai eu le souffle coupé par l'épaisseur de l'air en inspirant
profondément. C'était notre premier instant sur Kauai et jusque-
là, notre seule expérience sensorielle de l'île nous donnait
l'impression de rentrer à la maison.

Paul et moi avions eu le bonheur d'avoir l'occasion de nous
évader pour une deuxième lune de miel et toutes les routes
semblaient mener à cette petite île hawaïenne pluvieuse. J'avais
été fascinée durant des années par la légende de la Lémurie, un
continent mythique perdu qui avait disparu en même temps que
l'Atlantide il y a dix mille ans. Paul avait trouvé des articles
suggérant que Kauai était l'épicentre énergétique de la Lémurie
et ce petit fil conducteur avait suffi pour nous attirer. Nous
avions prévu un voyage de dix jours et nous avions l'intention
de camper et d'explorer l'île dans une voiture de location.

Avant notre départ, Louise m'avait donné le numéro de
téléphone d'une de ses amies de l'île, une femme qui était
chamane et professeure de Huna, la tradition spirituelle des
anciens Hawaïens.

Nous étions perpétuellement sidérés par l'énergie et la beauté
de cet endroit. Mais le plus enthousiasmant était le sentiment
étrange de déjà connaître les lieux. Le troisième jour de notre
voyage, j'ai téléphoné à l'amie de Louise, Laura Kealoha
Yardley. Elle était heureuse de nous entendre et nous a invités à
lui rendre visite et à recevoir une séance de Huna. Nous avons
dit oui tous les deux, même si nous ne savions pas du tout de
quoi il s'agissait !

Quand nous sommes arrivés, les étreintes dont Laura nous
a gratifiés ressemblaient plus à l'accueil d'un vieil ami qu'on
n'a pas vu depuis longtemps qu'à la rencontre d'une nouvelle
connaissance. Nous nous sommes tout de suite sentis à l'aise
en nous asseyant pour bavarder. Laura nous a parlé de l'île et
de ses traditions ainsi que des anciens habitants qui vivaient en
contact étroit avec la terre et étaient guérisseurs. Elle a parlé
d'une époque où nous étions plus éthériques, plus en contact
avec l'énergie de la Terre, des étoiles et des planètes. Elle a
mentionné que les humains communiquaient par télépathie.
Tout cela m'a rappelé ce que j'avais lu sur la Lémurie et je lui
ai donc demandé si elle considérait que Kauai était le continent
perdu de Lémurie.

Laura a répondu : « C'est la Lémurie, ma chère. Les énergies
de guérison de la Lémurie sont ici et les êtres illuminés sont
également toujours ici. C'est ici que tout a commencé. »

Cette conversation a duré des heures. Au lieu d'essayer de me
la remémorer, je crois que le meilleur moyen de résumer ce que
Laura a dit est de partager un extrait de ce qu'elle a elle-même
écrit sur le sujet :

La sagesse et le savoir de la Huna sont très anciens ; on croit qu'ils sont venus directement de l'ancien pays de la Lémurie, connu comme le Continent perdu de l'Océan Pacifique. Il est aussi appelé Mu ou Mère-patrie. Les peuples de la Lémurie étaient spirituels et mystiques et comprenaient que l'Esprit cosmique était la seule source de savoir positif. Afin d'acquérir des connaissances, ils se sont tournés vers l'introspection pour entrer en contact avec l'Esprit cosmique divin par la méditation et la concentration. Ils avaient une grande foi et une grande confiance autant en l'Esprit cosmique qu'en eux comme manifestations de cet Esprit cosmique unique. Ils étaient capables de puiser directement à sa source. Ils avaient conçu la télépathie mentale et pouvaient sentir les autres dimensions avec beaucoup de facilité. En Lémurie, les enseignements étaient purs, équilibrés et honoraient le dieu/la déesse. L'antique déesse mère de la Lémurie était connue comme la bien-aimée déesse Uli. Elle était la plus importante divinité de l'ancien panthéon hawaïen puisqu'elle était la mère de tous les dieux et déesses. Uli est notre Mère spirituelle céleste, notre mère à tous, c'est la force féminine de la création. Elle est la compagne de Keawe, lequel est notre Père spirituel céleste. Ensemble, ils créent l'harmonie et l'équilibre. Uli est l'accoucheuse du soi et par son exemple d'autocréation, elle nous enseigne à nous créer nous-mêmes exactement comme nous le désirons en plus de nous outiller pour le faire. Elle est la force féminine génératrice du Soleil ou la Lumière de Vie du Soleil. C'est Uli qui a libéré l'Eau vivante qui coulait dans le Souffle de Vie venu de Keawe. Les kahunas de Hawaï étaient les gardiens de cette lignée antique de la grande déesse Uli et les gardiens du savoir ésotérique. Longtemps, les secrets soigneusement gardés sont restés entre les mains des plus grands prêtres et devins ; le savoir d'Uli est entré petit à petit dans la clandestinité et l'équilibre a été rompu. Aujourd'hui toutefois, l'énergie de Uli est à la disposition de tous ceux qui font appel à elle. Elle vient de nouveau nous aider à nous souvenir de cette sagesse ancienne et conférer ses bénédictions à tous ceux qui se tournent vers elle.

Paul et moi avons échangé un regard, les yeux écarquillés, car nous reconnaissions tout à fait ce que Laura venait de dire. J'étais couverte de chair de poule et j'ai poussé un long et profond soupir d'abandon. Je me souvenais de cette façon d'être.

Laura nous a donné une séance énergétique à tour de rôle, ce qui ressemblait un peu à une séance de Reiki, sauf que l'énergie était sensiblement différente. Quand elle a posé ses mains sur moi, je me suis sentie enveloppée dans un doux cocon d'énergie violette que je pouvais voir avec les yeux de mon esprit. Cette énergie accueillait mon retour à moi-même, à mon pays, à mon âme. Laura a dit que des parties de moi m'avaient quittée la nuit de l'accident de voiture à cause de l'intensité du traumatisme. Néanmoins, j'étais maintenant hors de danger et il était temps pour ces parties – la guérisseuse, l'enseignante spirituelle – de revenir à moi. Ces dons avaient été présents en moi quand j'étais fillette mais avaient été éjectés par les coups durs de la vie.

Elle a aussi dit que Uli, déesse des Lémuriens ou anciens Hawaïens, voulait travailler avec moi si je le voulais. Finalement, elle a dit : «Anne, c'est ton chemin.» C'était il y a dix ans et je me rappelle encore à quel point ces quelques mots ont résonné profondément en moi et exprimé la vérité.

Paul et moi sanglotions tous les deux en quittant l'île à la fin de notre voyage. Nous nous sommes néanmoins promis de revenir et nous l'avons fait. En somme, Laura est devenue mon mentor et mon kahuna puisqu'elle m'a enseigné la Huna lémurienne. Je suis devenue habile à reconnaître les différents schémas des énergies en moi et les schémas énergétiques chez les autres. J'ai travaillé avec les chakras : j'ai appris à communiquer avec eux et à les calibrer en moi et chez les autres. J'ai été initiée à l'énergie de guérison de la Huna, qui s'est manifestée à moi sous la forme d'une lumière d'un violet profond, et j'ai cultivé ma capacité à donner des séances énergétiques.

Un jour que je méditais avec Laura dans sa salle de séjour, j'ai été submergée par la révélation que cette énergie que je semblais canaliser n'était pas distincte de moi. J'ai intensément senti que j'*étais* l'énergie de guérison violette. Je n'étais pas simplement son canal en imposant mes mains sur quelqu'un. J'étais cette énergie et elle était moi. De plus, je pouvais être cette énergie dans tout ce que je ressentais et pensais, dans chaque mot que je prononçais et chaque geste que je posais. Cette énergie de guérison était ma force de vie, *la* force de vie. Elle était mon âme, mon contact avec l'univers divin. J'étais le Soi divin.

Un soir, peu de temps après mon retour de ma dernière session de formation avec Laura, Paul et moi étions à la maison à regarder un film relatant l'histoire de quelqu'un qui avait frôlé la mort. Le film nous inspirait étant donné que nous avions tous les deux vécu une expérience de mort imminente (Paul avait vécu la sienne lors d'une sortie en surf dans un ouragan) et nous les considérions comme faisant partie de nos plus grands cadeaux. Je me suis demandé : *Si je pouvais dépasser la peur de mourir, est-ce que je pourrais faire absolument n'importe quoi ? Jusqu'à quel point cette peur me retient-elle dans la vie ?* Intellectuellement, je savais que j'étais une énergie éternelle et immortelle mais je me demandais si je ne pourrais pas déloger cette peur à un niveau plus profond.

La nuit même, allongée sur le dos dans le lit, j'ai décidé de méditer pour m'endormir. J'ai fermé les yeux et commencé à respirer profondément tout en tournant mon attention sur mon être énergétique intérieur. Je me suis sentie poussée à m'occuper de chaque chakra avec ma respiration en commençant par le sommet de ma tête. J'ai respiré à tour de rôle dans chaque chakra jusqu'à ce que je le sente s'adoucir et s'ouvrir dans l'énergie. Je n'essayais pas de l'ouvrir ; tout ce que j'avais à faire était de rester présente.

À mesure que je sentais chaque chakra vibrer en moi et s'ouvrir, je tournais doucement mon attention sur le suivant en descendant. Plus je descendais dans mon corps, plus je sentais son noyau vibrer et prendre de l'expansion. Les vibrations devenaient plus lentes et plus assourdies à mesure que je descendais dans les chakras inférieurs. Quand mon chakra racine s'est ouvert, j'ai senti une vibration de haute fréquence qui m'a paru traverser mon noyau de part en part, du sommet de ma tête à la base de ma colonne vertébrale. Elle est vite devenue incommodante et difficile à encaisser. C'était comme si j'étais branchée sur une prise à haute tension ; l'énergie était trop intense. J'avais du mal à supporter cette intensité, même en me tournant sur le ventre pour trouver un peu de soulagement. Avec mon visage dans l'oreiller, ma respiration est devenue très profonde et très lente. Je pouvais entendre battre mon cœur et il ralentissait à son tour. C'était comme si mon cœur et ma respiration étaient en train de simuler la mort. Cette pensée ne m'a pas effrayée autant que je m'y serais attendue. J'ai lâché prise. Je me sentais en sécurité.

Le temps s'est arrêté et je ne sais pas combien de minutes ont passé avant que je ressente le besoin de me retourner sur le dos. En me retournant, j'ai ouvert les yeux et regardé au plafond. À ma grande surprise, le toit de ma maison avait disparu. À la place d'un plafond blanc, j'avais devant moi des créatures célestes vertes et violettes dansant entre les planètes, les étoiles et les galaxies.

Ce que je voyais était vaste, illimité. Cela s'étendait aussi loin que mon regard pouvait porter et au-delà. Je ne faisais pas que regarder le panorama. J'en faisais partie. Plus encore, *j'étais* ce panorama. J'avais l'impression de ne plus être confinée aux limites de mon corps mais unie à tout ce que je voyais. Je sentais que j'étais de retour au moment de l'accident, que j'avais une perception consciente plus vaste de qui j'étais. Plus que tout, je me sentais aimée, profondément aimée. Cette expérience revenait pour m'assurer que ce que j'avais vécu était plus réel que tout.

Un tintement sonore et harmonieux a résonné tout autour de moi et à travers moi. J'étais folle de joie et j'ai dit « merci ». Puis une petite entité joueuse, une lumière verte, est apparue à ma droite et m'a invitée à me joindre à elle et à la suivre. C'est là que je me suis demandée avec inquiétude si je reviendrais en y allant. Je me suis dit : *Je ne suis pas prête à quitter mon mari et mon fils*. Instantanément, l'espace infini s'est mis à se refermer et le plafond est réapparu. Le tintement harmonieux a continué de résonner un moment mais est devenu plus ténu à mesure que la nuit avançait.

C'était une expérience chamanique, une expérience du Soi divin intégré sans limite sous sa forme d'amour divin. Elle m'a libérée de ma peur de la mort en ancrant profondément en moi l'information que j'étais l'univers énergétique tout entier qui s'amuse à passer simplement à travers cette âme, ce corps et cet esprit – mais sans en faire partie. Je connaissais maintenant mon éternité et mon immortalité et je savais que la mort était simplement un voile qui se lève sur notre perception humaine.

L'expérience a changé ma façon d'aborder le monde. Je suis devenue plus intrépide parce que je n'avais vraiment rien à perdre en osant faire ce que mon âme désirait réellement. Ma vie pourrait être vécue au service de cette aventure humaine émotionnelle et divine et du potentiel inexploité de mon cœur humain.

Je me passionnais pour tout ce que j'avais appris sur les rouages internes du corps et de l'âme et je voulais en savoir plus. J'ai commencé à noter des idées par écrit pour ce livre et j'ai entrepris de m'exercer consciemment à vivre à partir d'un espace où je *Suis* et *Ressens*, animée par mon âme et par l'univers. J'étais consciente que la seule chose qui pourrait représenter un obstacle était ma tendance à retomber dans *Pense* et *Agis*, oubliant ainsi ma nature essentielle. C'était à moi de rester éveillée pour mon être. C'était ma responsabilité.

Je sentais que j'avais compris le secret de la vie. Plus je prenais conscience des sensations encodant l'information passée encore vivante dans mon corps, meilleure j'étais pour m'en occuper à mesure qu'elle faisait surface. Je me sentais de plus en plus légère et ancrée. Je pouvais plus facilement faire le lien entre mes pensées et mes émotions.

Je suis aussi devenue consciente d'autres sensations plus subtiles, comme les battements de mon cœur, quand j'y prêtais attention. J'ai remarqué que les différentes parties de mon corps vivaient différemment le flux de force vitale. La beauté sous toutes ses formes faisait monter en moi une bouffée d'émerveillement et de larmes et je pouvais le sentir comme un élan d'amour. Dans tous les cas, je respirais profondément dans mes sensations et ma respiration semblait inviter plus de mouvement, plus d'ouverture.

Je suis devenue très habile à remarquer la différence entre l'énergie et l'information qui venait du passé et celle qui venait du présent. L'énergie du temps présent se colore d'un sentiment paisible d'émergence qui semble propulsé par un mouvement déterminé. Au lieu de venir du désir de bouger après avoir été arrêtés de nombreuses années, ce mouvement et ces sensations semblaient venir d'un espace de vie en moi, un espace de création. Plus je purgeais mon corps des énergies et des émotions du passé, plus je devenais consciente de cette force de vie créatrice, qui communiquait avec moi à travers mon corps.

Je me suis mise à vivre en fonction de la compréhension que cette conscience de l'énergie dans mon corps était en fait mon âme qui me parlait : c'est une communication animée par la force de vie en moi. C'est la même communication que le jour où ma grand-mère est morte, que la nuit dans la voiture accidentée, que lorsque j'étais debout sur le seuil de la salle de classe le premier jour d'école. C'est toujours la même sauf que maintenant quand je la sens, je n'ai pas besoin d'évènements dramatiques. Elle est simplement là, sans drames ni traumatismes, comme cela devrait être. Qui plus est, elle a la même qualité de liberté et d'excitation que je ressentais enfant à courir librement dans la nature avec mon ami. La vie et l'esprit partagent les mêmes qualités.

Bien que le travail de guérison et l'évitement de la souffrance pour nous et les autres soient importants, ils ne sont qu'un facteur dans l'équation. J'avais besoin de faire de mon âme la cheffe, le guide de ma vie. J'avais besoin de faire de mon âme ma boussole.

CHAPITRE 15

Une vie auto-poétique

———— ✤ ————

J e voulais maintenant savoir comment toute cette guérison et cette transformation pourraient se transformer en une nouvelle façon de vivre, sept jours par semaine et 365 jours par année. Ma carrière pouvait-elle réellement être un prolongement de mon âme ? Depuis l'accident de voiture, j'avais ressenti l'envie de retourner à la paix intérieure que j'avais connue alors. Ma guérison comme mon expérience chamanique m'avaient toutes deux amenée à un stade où je n'avais toujours pas toutes les réponses mais où la boussole de mon âme me guidait complètement. En commençant à déchiffrer le langage par lequel mon âme me parlait de ses désirs, j'ai su que je ferais d'autres sortes de choix dans ma vie.

Je voulais savoir comment je pourrais appliquer ce savoir pour faire bouger les choses, comment *Sois* et *Ressens* pourrait se traduire en *Pense* et *Agis*. J'avais du talent pour faire bouger les choses avant mais je n'avais jamais vraiment demandé à mon âme ce qu'elle voulait accomplir dans cette vie. C'était plus une entreprise intellectuelle. Dans ce nouveau paradigme, les processus du désir et de la manifestation semblaient se produire en accord avec le mode de création de la nature, ce qui ne ressemblait pas du tout à la façon dont un cadre de société pouvait établir et atteindre un objectif. Si je pouvais déterminer quels étaient les désirs de mon cœur et de mon âme, je pourrais peut-être les concrétiser !

En 2007, j'avais organisé une petite rencontre que j'avais appelée le Festival annuel des idées auto-poétiques. J'avais voulu m'entourer de personnes partageant mes idées et créer un évènement permettant aux participants d'échanger de l'information et des prises de conscience sur l'art de vivre en partant d'un espace inspiré. J'avais invité dix spécialistes régionaux dans le domaine de la santé holiste, des arts et de la conscience à présenter des conférences sur n'importe quel sujet qui les inspirait dans ces thèmes. Le premier évènement avait eu lieu durant une fin de semaine dans une auberge en bord de mer et avait attiré environ 50 participants.

J'ai clôturé le deuxième festival annuel juste avant de soutenir ma thèse en décembre 2008. Je voulais alors que l'évènement soit plus important, peut-être même attirer jusqu'à 75 personnes, et je voulais inclure dans le programme des auteurs à succès et des maîtres à penser. Le désir était fort mais pas du tout rationnel et je rougis aujourd'hui devant la liste de gens que j'ai invités à notre petite auberge. En effet, j'avais entrepris d'essayer de rejoindre les bureaux et les agents d'à peu près toutes les personnes qui m'inspiraient à l'époque : le Dalaï lama, Marianne Williamson, Byron Katie, Oprah, Matthieu Ricard, Wayne Dyer, Louise Hay. Personne n'échappait à mes coups de fil ! « Le président Clinton aimerait-il donner une conférence dans le cadre de mon festival ? Nous attendons jusqu'à 75 personnes ! » À ma grande surprise, beaucoup m'ont répondu et ils ont tous poliment refusé. Tous sauf un.

L'agente de Deepak Chopra était ouverte à l'idée.

La première fois que je lui en ai parlé, je lui ai expliqué mes plans pour le festival et elle m'a demandé combien de personnes participaient en général. Comme je voulais qu'elle soit impressionnée mais pas accablée, j'ai un peu gonflé les chiffres.

«Au moins soixante-dix!», ai-je lancé.

Elle m'a dit que Deepak s'adressait en général à des auditoires d'au moins mille personnes et m'a demandé si je croyais que ce serait possible.

J'ai inspiré profondément et répondu: «Pas de problème.» Je ne sais toujours pas d'où est venue cette conviction.

Il fallait que je trouve l'argent pour payer d'avance toutes les dépenses: lieux, publicité, honoraires des conférenciers, etc.! Sur papier, c'était probablement une très mauvaise idée. Je prenais un gros risque financier avec une entreprise qui ne ressemblait à rien de ce que j'avais fait jusque-là. Mon esprit roulait à toute allure et mettait en scène divers scénarios catastrophiques. Mais au fond, je n'avais pas du tout l'impression que c'était un risque. Je savais confusément, pas avec mon intellect mais dans mon for intérieur, que je devais poursuivre ce projet. Je prenais une décision qui était déjà arrêtée. J'ai entrepris de faire courir le mot que Deepak allait venir en ville et, ce faisant, il est devenu clair à mes yeux que cela allait marcher.

Il ne me restait qu'une petite chose à faire: trouver l'argent! Un effet secondaire intéressant d'avoir autant de diplômes était que chaque fois que j'en obtenais un, je recevais une carte de crédit par la poste. Or, je les avais toutes conservées au cas où j'en aurais besoin!

Ce sont ces cartes de crédit qui m'ont permis de faire venir Deepak Chopra à Halifax, en Nouvelle-Écosse, pour la première fois en avril 2009. Une foule de près de 1 300 personnes a assisté à sa conférence et encore aujourd'hui, des gens me disent que l'évènement a contribué à changer leur vie. Je tenais un bon filon. J'avais eu beaucoup de plaisir à produire l'évènement et j'avais maintenant une petite entreprise à moi.

Après la soirée, une femme est venue me voir pour me féliciter et m'a demandé : « Quel programme de gestion d'évènements avez-vous suivi ? Où avez-vous appris à produire des évènements ? » Je n'avais pas de réponse. Je n'avais pas suivi de cours. Je n'avais pas de papier qui me donnait la crédibilité pour faire ce que je faisais. J'ai pensé brièvement : *Est-ce que j'ai même le droit de faire ce que je viens de faire ?*

Plus tard le même soir, j'ai réfléchi aux paroles de cette femme. Elles me dérangeaient un peu parce que j'avais toujours été le genre de personne à aimer les certifications, à chercher de nouveaux titres pour me définir et me montrer l'étape suivante. Cette expérience avec Deepak avait été amusante, facile et très réussie. Comment était-ce possible si je n'étais pas une « spécialiste » ? Brusquement, je me suis souvenue. J'avais déjà fait cela. Toute jeune, je réunissais les enfants de mon quartier et j'organisais des pièces de théâtre, des concerts et des courses. Je me servais des médailles que je gagnais dans mes compétitions de ski pour les offrir aux gagnants des courses de boîtes à savon. Je fabriquais des billets et des programmes en papier pour les spectacles de variétés et j'invitais les parents du voisinage. Je peux encore voir une grande affiche que j'avais fabriquée pour un atelier que j'avais offert aux plus jeunes du quartier : ATELIER : CRÉATIVITÉ ET EXPRESSION.

Fabriquer cette affiche pour l'atelier n'était pas une idée de mes parents : je voulais vraiment réunir les gens et les divertir. Cela ne m'apparaissait pas non plus comme un choix. C'était plus ce que Deepak appelle « un geste spontané ».

J'avais oublié ces années. Elles dataient d'avant mon entrée au lycée, avant que je me mette à manquer d'assurance et à essayer d'être quelqu'un d'autre, quand *Pense* et *Agis* faisaient obstacle à *Sois* et *Ressens*. Avant que je l'oublie, j'étais naturellement rassembleuse. J'adorais inspirer les gens, les divertir. Avant l'amnésie du conditionnement social, j'étais un leader né. J'adorais partager, encourager et aider.

Tout cela était encore au fond de moi et avait juste été enterré, recouvert de couches de croyances limitatives et de peurs. La nuit de l'évènement Deepak, j'avais ressenti la joie et la liberté de l'enfance et le sentiment d'être guidée par un pur désir intérieur, sans inhibition. Débordant d'un sentiment d'expansion et de joie, j'ai pris de grandes respirations et entendu ma boussole intime me faire savoir que ce sentiment était bel et bien qui j'étais. J'étais cette joie. Cela m'a fait me demander : *Qu'est-ce que j'ai oublié d'autre sur qui je suis ?*

Mon entreprise a continué d'évoluer avec moi et c'est aujourd'hui une entreprise à vocation sociale, Autopoetic Ideas. Notre mission vise à amplifier les voix inspirantes et à fournir un antidote à l'isolement des artisans de lumière grâce à nos rassemblements, alors que nous contribuons à créer ensemble un monde meilleur. Nous avons produit plus de cent évènements et ouvert une agence-boutique qui offre du soutien aux chefs spirituels comme aux conférenciers en herbe.

Je partage souvent cette histoire avec des amis et des clients sur le point d'effectuer un changement majeur dans leur carrière ou leur entreprise. Je me souviens de ce que je ressentais quand j'étais enlisée et effrayée et je sais que le changement radical exige presque toujours un formidable saut dans le vide. Nous devons tous apprendre à nous fier à l'univers pour s'occuper des détails. La boussole de notre âme nous guide souvent dans des territoires inconnus et des aventures que nous n'aurions jamais pu imaginer. Peu importe qu'un projet particulier soit un succès ou un échec, je peux honnêtement dire que je ne voudrais pas que les choses soient autrement. Suivre mon cœur a ouvert plus de portes que je n'aurais jamais pu imaginer.

Cet hiver-là, j'étais aussi tombée amoureuse des enseignements d'un homme dont je n'avais jamais entendu parler avant.
À travers les beaux mots des pages de *Changez vos pensées,
changez votre vie*, j'ai découvert le cœur d'une âme qui entrerait
dans ma vie et la changerait à jamais.

CHAPITRE 16

Une boussole en forme de cœur

───── ❧ ─────

S i la vie auto-poétique avait des règles, la première serait de suivre votre cœur et de profiter du voyage !

À l'automne 2009, Paul et moi sommes allés en Californie faire une retraite d'une semaine au centre Chopra. Nous voulions tous deux incorporer plus de méditation dans nos vies pour approfondir notre relation avec notre âme et nous étions intrigués par la tradition védique et ses secrets. Cette semaine a changé nos vies et nous sommes rentrés à la maison avec une pratique quotidienne de la méditation que nous poursuivons encore aujourd'hui.

À un moment donné durant la retraite, l'animatrice a posé à peu près ces questions :

- Quels sont vos talents innés ?

- Qu'est-ce que vous aimez vraiment beaucoup faire et qui vous rend joyeux ainsi que les autres quand vous le faites ?

- Qu'est-ce que vous faites avec un tel naturel que vous n'y pensez même pas ?

- Y a-t-il quelque chose que vous faites qui vous libère des contraintes temporelles ?

- Qu'est-ce qui est sans effort et inspirant pour vous, que vous pourriez faire toute la journée ?

J'avais beau me creuser la cervelle, j'étais incapable de penser à un talent que j'avais en rapport avec ces qualités. Je savais que j'aimais réunir les gens et que cela me rendait joyeuse ainsi que les autres. Cela répondait à certains critères mais pas à tous. J'ai commencé à descendre dans le terrier de lapin de l'introspection et tout à coup, je me suis vue en imagination assise avec mon amie Rachel dans un café. Nous échangeons souvent sur les questions de l'âme et nous sommes toujours curieuses de savoir ce que l'autre fait pour poursuivre son évolution. Lors de ces rencontres, je me sens libre des contraintes de temps et d'espace. Je ne veux jamais que la conversation se termine : je suis vraiment présente et joyeuse et je quitte la conversation heureuse et revigorée.

Cela ne m'apparaissait pas tout à fait juste non plus et je me suis dit : *Ça ne peut pas être un talent. C'est juste ce que font les amies.* J'ai creusé plus loin dans l'essence de ce moment et de ce qu'il s'y passait. Premièrement, et surtout, j'écoutais avec profondeur, intimité et bonté. J'étais pleinement présente à tout ce que Rachel disait, avec mon esprit, mon corps, mon cœur et mon âme. J'étais en contact avec le contenu émotionnel et énergétique de ses paroles. Tout mon être participait en percevant et en évaluant le contenu énergétique de notre conversation. Deuxièmement, nous cherchions un sens aux histoires que nous partagions, en quête d'indices, de clarté et de perspective. Nous aimions beaucoup analyser nos histoires et découvrir de nouveaux aspects de nous-mêmes. Troisièmement, nous pouvions toutes les deux voir l'effet miroir dans les récits et les schémas de l'autre. En partageant avec cœur et âme, nous gagnions en perspective sur nos situations.

Ma propre guérison avait changé ma façon d'agir avec les autres. L'intimité et la tendresse que je ressentais à mon égard se traduisaient par une tendresse et un amour profonds pour les autres. Je pouvais être ouverte et vulnérable sans être faible grâce à une force intérieure inébranlable. Je me sentais émotionnellement en sécurité peu importe le contenu de la conversation et j'en étais arrivée à me faire confiance ainsi qu'à l'univers. Je voulais partager cette expérience avec d'autres. Je voulais être présente pour eux d'une manière qui les invite à explorer leur être avec intimité, vulnérabilité et en toute sécurité. Je voulais vraiment que ceux que j'aimais puissent faire l'expérience de cette liberté intérieure. Mais plus que tout, je voulais que le plus grand nombre possible puisse vivre de cette manière.

Est-ce qu'on pouvait faire carrière à écouter avec profondeur et tendresse et à réfléchir certains schémas à l'autre avec intimité et vulnérabilité ? J'en doutais.

Le dernier jour, l'animatrice a dit dans sa conclusion quelque chose comme : « C'est merveilleux l'information que vous avez absorbée cette semaine mais si vous ne l'appliquez pas à votre vie, ce ne sera que du savoir emmagasiné dans votre cerveau. Alors, comment allez-vous appliquer ce que vous avez appris et effectuer un changement dans votre vie ? Quel est l'engagement le plus important que vous pouvez prendre dès maintenant pour changer votre vie ? Quel engagement personnel pouvez-vous prendre dès maintenant en fonction duquel vous commencerez à vivre dès ce soir en franchissant cette porte ? »

Je me sentais anxieuse et un peu inquiète. Jusque-là, ma vie universitaire et professionnelle avait porté uniquement sur la quête, l'établissement puis l'élimination de certaines identités. Ma quête pour devenir professeure serait-elle la prochaine victime de ce processus ? Si à l'épreuve, être professeure ne me permettait pas de vivre totalement à partir de mon cœur, est-ce que je serais prête à faire une croix sur cinq années d'études de doctorat et de travail ingrat passé à établir cette carrière ?

Je sentais la pression que je m'imposais pour m'organiser et vite figurer quoi faire de ma vie. Je n'aimais pas ce que cela me faisait vivre. Cependant, lorsque l'animatrice a répété la question, j'ai senti quelque chose de fort m'attirer dans mon cœur. J'ai pris une ou deux respirations profondes et je suis entrée en contact avec ces sensations dans mon cœur.

Mon cœur parlait fort maintenant. Il me disait qu'il était temps pour moi de faire ce que je disais. Il était temps pour moi d'appliquer à *chaque seconde* tout ce que j'avais appris au cours des dernières années de guérison. La chose la plus importante que je pouvais faire pour changer radicalement ma vie était de modifier une fois pour toutes l'orientation de ma boussole interne : il fallait que je fasse passer pour de bon, de mon esprit à mon cœur, le siège de mon identité et de ma conscience. Pas seulement mon cœur métaphorique, mais mon organe physique, la masse énergétique qui pompait mon sang et me donnait la vie au centre de ma poitrine. Je pouvais sentir mon cœur tellement fort : je le sentais à vif, ouvert, prêt à nouer une relation plus profonde avec moi, un lien de tendresse incroyable et d'intimité émotionnelle. Je savais que si je pouvais vivre et respirer en gardant ma conscience dans mon cœur, si j'étais capable d'être dans cet espace, ma vie changerait radicalement. Pas seulement dans la salle de cours mais partout ailleurs.

Je voulais vraiment que mon cœur soit toujours mon guide. J'ai été submergée par l'euphorie qui bouillonnait dans mon plexus solaire et me remplissait de désir, d'espoir et de courage. Au fond, je savais que mon cœur ne m'égarerait pas. C'était la boussole de mon âme.

J'ai quitté le centre de retraite avec mon attention dans mon cœur. Je pouvais sentir le sang circuler dans et avec chacune de mes respirations. Je pouvais sentir l'énergie de mon chakra qui se réjouissait de cette attention et communiquait avec moi à toute vitesse. Je disais toujours «oui!» à mon âme tandis qu'elle circulait en moi, me guidant et s'exprimant à travers moi. J'étais amoureuse de ma force de vie et de mon âme et prête à les laisser ouvrir la voie.

Peu de temps après notre retraite, notre petite famille a passé quatre mois sur Kauai. Là, j'ai vu ma kahuna pour la dernière fois.

«Il est maintenant temps de partager ce que tu sais», m'a dit Laura quand notre temps ensemble a pris fin. «Tu n'as pas besoin d'autre formation ou d'autres cours avec moi. Uli travaille avec toi maintenant. Commence simplement à enseigner.» Je ne savais pas par où commencer, alors elle a dit: «Choisis simplement une date, envoie l'invitation et ils viendront.»

J'ai demandé : «Je n'ai pas besoin d'une sorte de certification?»

Elle a répondu : «Tu n'as pas besoin d'autre certification. Enseigne simplement ce que tu sais. Tu en sais plus que tu le crois.»

Je me suis engagée à me réveiller avec le soleil et à méditer tous les jours sur la plage à proximité. J'ai communiqué par une respiration profonde un grand désir à mon esprit, à mon corps, à mon âme et à l'univers tous les matins au lever du soleil pendant 40 jours. Je me suis vue aider les autres à cheminer vers une spiritualité incarnée et cela a rempli mon cœur de joie. J'ai établi l'intention d'avoir une vie en harmonie avec mon âme. J'ai planté les graines du travail que je voulais accomplir et je me suis détachée de la manière dont tout cela se ferait. Chaque matin, je sentais la présence de Uli. Je lui offrais une respiration *ha* en gratitude.

J'ai planifié mon premier atelier et les gens sont venus. J'ai choisi d'autres dates et encore plus de gens sont venus. En fin de compte, les participants ont voulu me parler après les formations et me rencontrer personnellement : je les ai invités à venir prendre le thé et bavarder dans mon salon. Après un certain temps, j'ai loué un local commercial et rendu ma pratique officielle. Les gens ont commencé à me désigner comme leur accompagnatrice personnelle (*coach de vie*). Bien que je ne me sois jamais entièrement identifiée à ce titre, j'aidais à présent les autres à revenir à leur cœur. C'était vraiment un processus auto-poétique. Je ne crois pas que mon intellect aurait pu prédire tous les rebondissements mais mon cœur était toujours au courant. Il se souvenait.

J'avais fait une rencontre de bon augure pendant ces 40 jours à Kauai. Depuis un an déjà, j'échangeais avec Maya Labos, l'agente de Wayne Dyer, pour voir si nous pourrions inclure une date dans le cadre de sa prochaine tournée de conférences au Canada. Après bien des heures au téléphone avec elle, Maya était prête à concrétiser l'affaire mais Wayne avait encore besoin d'être convaincu. Il ne savait pas qui j'étais. Le même hiver, le hasard avait voulu qu'il donne une conférence à un groupe d'ophtalmologistes à l'hôtel Westin de Kauai. Il avait donc suggéré que je vienne assister à sa présentation et que je le rencontre pour qu'il puisse faire ma connaissance et voir si une collaboration était possible.

J'étais en train de lire son livre *Inspiration* et d'apprendre à planter les graines du désir pour manifester le dessein de mon âme quand j'ai reçu l'invitation. À la conférence, je me suis assise dans la dernière rangée et j'ai bu chacune des paroles que prononçait cet homme magnifique. À la fin de la présentation, j'ai fait la file pour le rencontrer. Quand est venu mon tour, il m'a serrée fort dans ses bras, m'a regardée droit dans les yeux et m'a souri comme s'il me reconnaissait avant même que je me présente. Je n'oublierai jamais ce que j'ai ressenti alors, comme si j'étais la personne la plus importante du monde. Il a donné cette attention inconditionnelle à chacune des personnes de la file ce jour-là. Je savais que je venais de rencontrer un être humain hors du commun. Quelque chose me semblait tellement familier que j'étais impatiente de passer plus de temps avec lui. Je lui ai parlé de mon désir de le faire venir au Canada. Nous avons échangé quelques mots et je suis partie.

Quelques mois plus tard, nous avons pu prévoir notre tout premier évènement ensemble dans la petite ville de Vernon, en Colombie-Britannique. Quelqu'un lui a fait parvenir des photos de l'évènement, où l'on peut voir des orbes flotter autour de lui pendant qu'il est sur scène. C'était un réel privilège de me rapprocher de cet être divin.

CHAPITRE 17

La fin du monde

⁓⊙⊙⁓

L e calendrier maya disait que le monde prendrait fin le 23 décembre 2012. On faisait tout un foin de cette prédiction à Hollywood et dans les cercles spirituels. Les spécialistes du Jugement dernier avaient eu une année exceptionnelle et bien des gens attendirent en retenant leur souffle à mesure que le jour fatidique approchait.

Nous savons tous que le monde ne s'est pas terminé cette année-là mais ce fut assurément la fin du monde tel que je le connaissais. De fait, ma vie a changé. De vieilles habitudes sont mortes. De nouvelles habitudes sont nées. Je suis devenue une nouvelle personne.

J'avais commencé l'année en ayant un choix professionnel à faire parce que je divisais mon énergie entre le plan A et le plan B et trouvais la cadence de plus en plus difficile à maintenir.

Dans le plan B, j'étais nouvellement conférencière et je jonglais avec mes obligations dans plusieurs universités pendant que mes enfants étaient à l'école. J'aimais le rapport que j'établissais avec les étudiants mais j'étais de moins en moins passionnée par le contenu que j'enseignais et c'était un problème. En l'absence de sens et d'inspiration, le travail avait des conséquences néfastes sur ma santé. Je me suis retrouvée à combattre des rhumes et des grippes plus que jamais auparavant. Je n'y arrivais plus. Plus précisément, je ne voulais plus et mon corps me le disait haut et fort.

Dans le plan A, je dirigeais ma propre entreprise. J'aidais des individus en tête-à-tête quelques heures par semaine et je m'investissais dans ma compagnie de production d'évènements les soirs et les fins de semaine. Mon entreprise prospérait, comme ma pratique privée, mais ce n'était jamais un revenu assuré. Si jamais j'étais tentée d'adopter complètement le plan A, je serais arrêtée par mes peurs de manquer d'argent. J'avais besoin de la stabilité financière que me procurait mon travail universitaire.

Je me demandais pourtant : *Si j'étais pour mettre toute mon attention et mon temps sur ma passion et sur ce que je sens être mon chemin, est-ce que l'argent augmenterait et affluerait ?* Mon style de vie deviendrait-il comme celui que décrit Anderson Cooper dans son essai *Why « No Plan B » Is the Only Plan ?*

J'ai décidé de faire le saut et j'ai plongé dans le plan A. Il était en gestation depuis quelques années et j'étais prête à me lancer même si j'avais peur. Le temps gagné dans mon horaire a alors donné à mon corps une chance de se reposer. Je me suis mise à commencer la journée par un fouetté vert regorgeant de légumes feuilles biologiques et j'ai entrepris une nouvelle pratique de yoga. Un simple nettoyage anti-inflammatoire m'a amenée à changer radicalement mon style de vie : j'ai éliminé le blé de mon régime alimentaire et renoncé à l'alcool. Je ne me demandais plus : *Est-il trop tôt dans la journée pour passer du café au vin ?*

J'étais enchantée de mon surcroît de vitalité. Les rhumes et les grippes ont disparu. Mon esprit est devenu clair et aiguisé et je me suis sentie plus stable émotionnellement. Mes fringales pour certains aliments ont diminué, tout comme les derniers restes du sentiment que je n'étais pas assez bien. Si le corps est l'instrument de l'âme, je ressentais les effets de cette optimisation de mon instrument comme une plus grande clarté d'esprit et un lien plus étroit avec mon dessein ultime, ma *raison d'être*[VI].

Quand est venu le temps pour le monde de prendre fin comme prévu, j'avais mis un terme à tous mes contrats d'enseignement, et mon entreprise et ma pratique individuelle prospéraient. C'est l'année où j'ai sauté à pieds joints dans ma vie.

VI.   En français dans le texte.

CHAPITRE 18

L'espace entre deux personnes qui s'étreignent

~∞~

C 'était l'été 2013 dans la campagne québécoise et la bataille qui se livrait avait pour enjeu les préférences alimentaires de mon fils Olivier.

À la maison, nous vivions sans blé et nos enfants s'intéressaient maintenant davantage à la nourriture et à son influence sur la santé et le bien-être. Même si nous n'avions pas de blé à la maison, ils étaient encouragés à faire leurs propres choix quand ils étaient ailleurs. Nos deux enfants s'étaient rendu compte qu'ils ne se sentaient pas très bien quand ils mangeaient du blé. Ce jour-là, nous étions dans un petit restaurant avec ma mère et Olivier essayait de commander un repas à partir d'un menu typique des restaurants canadiens-français en milieu rural : un hommage au pain et presque un champ de mines pour le client qui ne mange pas de blé. Ce qui ajoutait à la complexité de la situation était le fait qu'Olivier avait des goûts et des préférences un peu précoces pour son âge, ayant passé une grande partie de sa jeune vie au restaurant de Paul. Comme nous y étions relativement habitués, nous avons essayé d'adapter quelques plats mais il était clair que nous incommodions le chef. Ma mère est alors intervenue et a insisté pour que nous fassions une exception et mangions ce qu'il y avait sur le menu.

Pensait-elle que je n'étais pas une bonne mère ? J'allais nourrir ma famille et outiller mes enfants en leur fournissant l'information dont ils avaient besoin pour être en santé et le Ciel vienne en aide à la personne qui se mettrait en travers de mon chemin ! C'est alors que je me suis aperçue, à l'instant critique juste avant que la dispute que je pressentais éclate, que je retenais ma respiration.

Je me suis tue. Il y avait un problème plus important en jeu ici et c'était le mien, pas celui de ma mère. Ma respiration a repris, superficielle. J'ai pris la décision consciente de rester avec le sentiment et de me détacher de l'histoire. J'ai demandé à ma mère de me donner une seconde. Je suis restée assise et je me suis mise à respirer profondément. J'ai laissé le souffle parcourir mon corps, du bas de mon ventre jusqu'au sommet de ma tête puis refaire encore une fois ce circuit.

Des larmes se sont tout de suite mises à couler sur mes joues. J'ai continué de respirer profondément jusqu'à ce que j'aie retrouvé mon équilibre. En moins d'une minute, l'intensité avait disparu. J'ai regardé ma mère et j'ai souri. Elle m'a rendu mon sourire.

Puis de façon vraiment inhabituelle, elle m'a demandé de la laisser me prendre dans ses bras. Quand elle m'a enveloppée de ses bras, mes larmes sont revenues. Je me suis mise à sangloter. Le moment cathartique, comme si des années et des années de bagage émotionnel tombaient de moi avec chacune de mes expirations. Je me suis laissée aller de plus en plus dans ses bras. Je me sentais vue. Je me sentais aimée.

Quelques minutes plus tard, assise en face de moi, elle a dit : « Tu sais, Anne, quand tu étais bébé et petite fille et que tu pleurais, je ne te prenais pas dans mes bras. Je n'allais pas vers toi pour te réconforter. Ce n'était pas comme ça que nous étions censés élever nos enfants. On nous disait que ça en ferait des enfants gâtés, dépendants et que ça les empêcherait de devenir forts et autonomes. Mais je pense autrement aujourd'hui. Je veux te prendre dans mes bras à partir de maintenant. Je peux ?»

J'étais abasourdie devant cette révélation ! Je comprenais maintenant l'origine de la douleur dans ma tête et de mes crises de panique et pourquoi j'avais tant pleuré ces dernières années en travaillant à ma guérison. J'avais compensé tout ce temps perdu. J'ai commencé à faire des liens et compris pourquoi j'avais un rapport maladroit avec l'intimité et la vulnérabilité. Je pouvais voir toutes les tentatives avortées pour accepter l'amour dans ma vie, en amitié et en amour. Combien de fois avais-je déménagé au loin pour éviter une plus grande intimité ? Je me rappelais le mur d'oreillers que j'avais eu l'habitude d'ériger entre Paul et moi dans notre lit pour pouvoir m'endormir, en le repoussant de l'autre côté du lit pour protéger mon espace personnel. Je comprenais pourquoi mon corps devenait si tendu quand mes enfants exprimaient leur détresse émotionnelle et pourquoi je devais travailler autant sur mes émotions pour être capable de leur donner toute l'affection physique que mon cœur souhaitait leur donner.

Ma mère n'avait pas vécu la tendresse d'une mère qui la prenait dans ses bras, ma grand-mère non plus. Or, elle venait de briser en un clin d'œil le schéma ancestral. Il ne serait plus jamais transmis. Je me rappelle avoir senti que je pourrais à présent tout partager avec elle. J'ai senti une liberté, une ouverture se faire autour de ma gorge, autour de l'expression de qui je suis et un nouveau sentiment de sécurité émotionnelle en présence de ma mère.

« Si vous croyez que vous êtes illuminé,
allez passer une semaine avec vos parents. »
— Ram Dass

Quand je suis rentrée à la maison après ce voyage et que j'ai raconté à Paul que ma mère et moi avions échangé une étreinte extraordinaire, je me sentais encore ébranlée, ce qui a paru dans ma voix. Au fond de mon ventre, je conservais le souvenir kinesthésique d'être un enfant, de vouloir de l'affection physique de ma mère et de ne pas en recevoir. Cette prise de conscience m'a fait ressentir de l'accablement et de la honte. Je savais que tout cela prendrait probablement un certain temps à guérir et que l'effet de la révélation de ma mère était profond.

Encore à ce jour, quand je raconte aux participants aux ateliers l'histoire de ma mère qui me prend de son propre chef dans ses bras pour la première fois, ma gorge se noue et mes yeux s'embuent. Cette histoire est tellement intime pour moi, je suis tellement proche de ma mère et de ma voix vulnérable. J'honore à chaque fois un peu plus de tristesse, j'en abandonne un peu plus, je pèle une autre couche de l'oignon. Chaque fois que j'affirme à voix haute cette vérité qui est la mienne, je guéris un peu plus. Je donne voix à la partie de moi qui a perdu la sienne voilà très longtemps.

CHAPITRE 19

Un cadeau

————◦○◦————

À l'hiver 2015, Hanalei s'est mise à avoir des terreurs nocturnes. Durant la journée, c'était une enfant joyeuse, très interpellée et emballée par la vie. Mais lorsque venait le soir, elle avait peur de s'endormir car elle appréhendait une autre nuit de mauvais rêves. Le matin, elle racontait des histoires de créatures terrifiantes qui essayaient de l'attraper et de mauvaises choses qui arrivaient à sa famille. Au fil du temps, les rêves ont empiré et ses cauchemars sont devenus des terreurs nocturnes. Elles se manifestaient généralement une heure ou deux après qu'elle se soit endormie. De notre chambre à coucher, nous entendions des cris stridents et paniqués et le froissement de ses draps, puis un choc sourd sur le plancher. Quand nous entrions dans sa chambre, elle avait le regard intensément fixé sur quelque chose au loin et poussait des cris perçants de désespoir.

Souvent, ses gestes ne lui ressemblaient pas et elle parlait dans une langue étrange. Quand ses yeux croisaient les nôtres, sa panique se mêlait de soulagement et elle grimpait avec frénésie dans nos bras, comme un petit animal effrayé escaladant un arbre. Elle s'accrochait désespérément à notre cou et à nos épaules. Il lui fallait souvent un moment avant de nous reconnaître et de se rappeler qui elle était. Elle me regardait dans les yeux avec le regard le plus terrifié que j'avais vu de ma vie et essayait de me mettre en garde contre des gens qui me capturaient, me piégeaient, me coupaient les mains ou m'arrachaient à elle. Sa voix était différente de sa voix ordinaire quand elle évoquait notre lien brisé.

L'intensité de ses émotions suggérait une situation de vie ou de mort. C'était comme si quelque chose se passait et se résolvait à un niveau que je ne pouvais pas comprendre. J'allumais la lumière et quand notre fille se rendait compte que j'étais saine et sauve et que nous étions dans sa chambre, elle laissait tomber sa tête sur mon épaule et pleurait quelques minutes avant de se rendormir.

Au matin, elle se rappelait les cauchemars mais jamais les terreurs. Nous pensions que c'était peut-être son alimentation, son imagination ou sa vitalité exceptionnelle. Dès qu'elle avait pu parler, elle avait souvent exprimé à quel point elle craignait de me perdre. C'était plus que l'inquiétude typique d'être séparé d'un parent. Je me demandais souvent si elle ne se défaisait pas de souvenirs traumatisants d'une vie passée en les guérissant durant la nuit.

En juin, j'étais à Maui pour participer à un atelier de Hay House, *Writing from the Soul*. Paul et les enfants étaient restés à la maison et je m'étais rendue là-bas avec une amie. J'étais de retour dans les îles et je sentais le flux. J'étais aussi incroyablement reconnaissante d'être de nouveau étudiante, ne serait-ce qu'une fin de semaine. J'ai écouté attentivement et pris des notes en découvrant les tenants et les aboutissants de l'édition dans le domaine de la croissance personnelle de la bouche des experts en la manière : Wayne Dyer, Reid Tracy, Nancy Levin et Doreen Virtue. À la fin de la première journée, je suis passée sur le balcon de notre chambre, j'ai regardé l'océan et exprimé ma profonde gratitude de vivre cette expérience, d'être là, chez moi, dans ce moment, entourée de la beauté d'Hawaï, remplie d'*aloha* et d'amour. J'ai songé à quel point j'avais fait du chemin depuis l'accident de voiture, à quel point ma vie s'était transformée du tout au tout, combien de liberté et d'amour vivaient en moi à présent. J'ai silencieusement offert ma respiration *ha* à Uli.

La même nuit, je me suis réveillée en sursaut d'un profond sommeil à 12 h 15. Une puissante énergie était entrée en moi par le sommet de ma tête et circulait à travers mon corps avec une telle force qu'elle m'a brusquement tirée de mon sommeil, réveillant également mon amie dans le lit à côté du mien. L'énergie n'avait absolument aucun contenu, aucune émotion, aucune caractéristique distinctive. Nous nous sommes vite rendormies. Quand nous nous sommes réveillées le lendemain matin, mon amie m'a demandé si je savais ce que signifiait cet évènement de minuit. Je ne le savais pas mais j'avais l'impression que son sens se révélerait au fil de la fin de semaine.

Plus tard dans l'après-midi, j'étais au premier rang de l'atelier et j'écoutais Wayne raconter une histoire tirée de son nouveau livre, *Des souvenirs du ciel*. L'histoire était celle d'une mère qui chantait à sa fille une berceuse juste pour elle, et ce, depuis le jour de sa naissance. Quand elle a eu un an, l'enfant est décédée ; la mère a eu le cœur brisé et n'a plus jamais chanté la berceuse. Plusieurs années après, elle a eu une autre fille. Un jour, celui de son quatrième anniversaire, la fillette s'est mise à fredonner cette même berceuse. La mère s'est figée et a demandé à sa fille comment il se faisait qu'elle connaisse la chanson. La fillette a répondu : « Tu avais l'habitude de me la chanter, maman. »

En écoutant Wayne parler, j'ai été étonnée par les émotions profondes qui montaient en moi. Les larmes se sont mises à couler et j'ai respiré profondément dans cette intensité. J'accueillais les émotions mais je n'avais aucune idée de leur provenance. Quel cadeau de savoir que mon corps peut guérir instantanément si je me contente de le laisser faire et de m'écarter du chemin ! Tandis que mon corps retrouvait ses moyens, Hanalei m'est venue à l'esprit et d'autres larmes ont coulé. J'ai compris que sa crainte de me perdre était fondée. Elle m'avait déjà perdue une fois dans cette vie.

Après avoir renoué en Nouvelle-Écosse à l'été 2003, Paul et moi étions tous deux retournés à nos vies d'avant pour les démêler et mettre un terme à nos relations du moment. Je vivais une amitié qui s'était transformée en liaison de passage et j'anticipais une rupture facile. La relation de Paul était plus sérieuse et il voulait du temps pour clore correctement l'affaire. Dans quelques semaines, nous commencerions notre nouvelle vie ensemble en Ontario.

Quoi qu'il en soit, la vie avait une autre épreuve pour nous. J'ai découvert que j'étais enceinte et le bébé n'était pas de Paul. J'avais le cœur brisé. J'avais l'impression que la vie me punissait pour avoir été trop insouciante, trop optimiste, pour avoir osé croire que j'avais tout compris. J'étais en colère contre moi-même et pleine de jugements. Comment avais-je pu être aussi négligente?

J'ai appelé Paul à 23 heures un jeudi. C'était le coup de fil le plus pénible que j'avais jamais eu à donner. Il est parti sur-le-champ en voiture, faisant le trajet de nuit pour être avec moi. Le trajet durait 10 heures et d'une façon ou d'une autre, il a trouvé le temps d'assembler une «trousse de soins». Elle débordait de nourriture, de livres et de films comiques. Quand il est arrivé, nous nous sommes allongés côte à côte sur mon lit. Nous n'avons pas dit grand-chose. Il a mis sa main droite sur mon ventre et je me suis endormie quelques heures. Il est parti peu de temps après mon réveil, car il devait être de retour en Nouvelle-Écosse le samedi matin pour préparer le repas d'une grosse réception de mariage et il n'avait pas une minute à perdre.

Les jours qui ont suivi ont été parmi les plus déroutants de ma vie. Je n'avais jamais imaginé que je pourrais me sentir aussi triste en tombant enceinte pour la première fois. Je ne savais pas quoi faire ni comment gérer cette situation. Je me sentais piégée.

Plusieurs jours après la visite de Paul, je suis sortie courir. Quand je suis rentrée, je me sentais très malade et plus tard le même jour, j'ai fait une fausse couche. J'ai pleuré cette vie qui m'avait quittée. J'étais soulagée que Paul et moi puissions à présent planifier d'avoir des enfants selon nos termes mais je pleurais la perte de mon bébé. La même nuit, j'ai rêvé à elle. C'était une belle grande adolescente avec de longs cheveux roux. Elle était exubérante et m'a dit qu'elle reviendrait; elle m'a dit de ne pas être triste.

Ce jour-là dans l'atelier d'écriture à Maui, j'ai compris que ce bébé était Hanalei. Et je me suis mise à pleurer pour ma fille qui avait déjà dû me quitter une fois. J'avais l'impression de l'avoir forcée à partir et que la culpabilité était restée vivante en moi durant 13 ans.

Je suis sortie de la salle où se donnait l'atelier pour prendre l'air. Je me suis assise sur la plage à côté d'une autre participante que je ne connaissais pas. Elle était assise en silence et semblait aussi réfléchir. Elle m'a demandé de but en blanc si j'avais des enfants.

«Oui. Deux. Et ce sont des maîtres étonnants pour moi», ai-je dit. Je n'ai pas pu retenir mes larmes. Elle m'a pris la main, comme le ferait un chamane bienveillant. J'ai regardé ses yeux tendres. J'ai ajouté : «Je peux sentir ma fille ici avec moi en ce moment même. Elle est tellement exceptionnelle.»

Au même moment, une fillette à peu près de l'âge d'Hanalei est passée devant nous sur le sable, vêtue d'un maillot de bain à l'imprimé zébré, le préféré de ma fille. J'en ai eu le souffle coupé de stupéfaction. J'ai inspiré profondément et une autre vague m'a inondée en même temps que je me défaisais des derniers vestiges de culpabilité. Puis la paix est revenue. J'ai regardé l'océan avec émerveillement. Nous sommes restées assises sans rien dire toutes les deux, juste présentes, présentes à la magie dans l'observation silencieuse de ce qui se déployait.

J'ai téléphoné à Paul et je lui ai raconté ce qui s'était passé. Il s'est mis à pleurer et m'a avoué qu'il avait porté sa propre culpabilité à la suite de cet épisode. Il avait lui aussi le sentiment d'avoir forcé l'enfant à partir. Durant le bref moment où il m'avait vue, ce jour-là, après avoir fait la route, il avait mis sa main sur mon ventre pendant que je dormais et était entré en contact avec la petite lumière blanche en moi. Il avait parlé au petit esprit et l'avait supplié : « Je t'en prie, petit esprit, je ne sais pas si nous sommes assez forts pour t'élever en ce moment, je ne sais pas si je suis prêt à assumer ça. Je t'en prie, reviens une autre fois, plus tard, quand nous serons plus capables de prendre soin de toi et nous serons ensemble à ce moment-là. » Il a dit qu'il avait senti la lumière briller d'un éclat de compréhension pour ensuite disparaître. Il a ajouté qu'il avait su dès la naissance d'Hanalei que ce petit esprit était revenu.

Le lendemain, j'ai reçu un coup de fil de Wayne. Il m'a dit qu'il avait de bonnes nouvelles. Il m'a annoncé que Hay House allait publier mon livre. C'était le 15 juin, 14 ans jour pour jour après m'être réveillée à l'hôpital en ne sachant pas ce qui venait de m'arriver. Je suis rentrée à la maison pour passer l'été à terminer ce livre.

DEUXIÈME PARTIE

SOIS
RESSENS
PENSE
AGIS

VIVRE L'ÂME

Cher lecteur,

Dans la première partie de ce livre, je vous ai raconté mon histoire, ce qui a été incroyablement thérapeutique pour moi. C'était une chose de regarder ma vérité personnelle en face mais en parler publiquement est une tout autre étape de ma transformation. À partir du moment où j'ai commencé à écrire mon histoire trois ans après les évènements, je n'en ai pas parlé à personne. Pas même à Paul. Elle me semblait trop crue, trop révélatrice. Puis j'ai rencontré ma belle amie Renée, éditrice de profession et écrivaine de talent. Je me souviens encore du jour où je lui ai remis la première version de mon manuscrit. Je me suis accrochée tellement fort à la pile de papiers qu'elle a dû me l'arracher des mains. J'étais terrifiée.

Son commentaire a été du genre que seule ferait une amie dévouée :«Il y a un livre là-dedans mais ceci n'est pas un livre.» Au cours des quelques années qui ont suivi, j'ai reçu ses commentaires clairs et bienveillants. Elle soulignait ce qui coulait, ce qui était puissant et captivant et ce qui semblait forcé et hautain. Mes antécédents universitaires me faisaient écrire de façon très précise, ordonnée et mesurée. Ce n'était pas plaisant à lire.

J'ai commencé à faire de plus en plus confiance à ma voix et au pouvoir thérapeutique de la narration authentique. Cela ne s'est pas fait du jour au lendemain. Il m'a fallu faire confiance pendant des années à l'impulsion de mon cœur et à mon profond désir de partage. Il y a eu de nombreuses révisions. Le plus dur a été de lutter contre mon propre intellect. Ce livre n'était-il pas simplement une illusion, un rêve complaisant ?

Y a-t-il un livre en vous ? Y a-t-il un désir de partage ? Je vous encourage à partager vous aussi l'histoire de votre âme. Il n'y a

rien de plus puissant que des histoires vraies de lutte et de guérison, partagées avec vulnérabilité et authenticité.

Nous devons parfois garder ces joyaux pour nous parce
que nous n'avons pas d'endroit sans danger où les montrer, ou
nous ne nous sentons pas assez en sécurité intérieurement pour
affronter les répercussions de notre confession. Mais une fois que
l'on est prêt, se confier publiquement à partir d'un espace ancré
en soi accélère grandement notre évolution, selon moi. Nous
nous libérons de la culpabilité qui nous fait mal, de la honte
qui sape notre vitalité et de toutes les autres émotions de basse
fréquence associées aux jugements que nous portons sur nous-
même. Une fois tout cela extirpé, nous devenons intrépides et
impossibles à arrêter. Nous rendons un grand service lorsque
nous libérons les autres de la croyance limitative qu'ils sont seuls
dans leur souffrance, et que nous les autorisons silencieusement
à tempérer leur jugement sur eux-mêmes et à revendiquer leur
histoire personnelle, leur vérité. Nous devenons un bon virus et un
catalyseur de transformation. C'est par le pouvoir de la narration
que nous pouvons nous montrer mutuellement comment nous
abordons cette vie et partager entre nous les bases de nos leçons
de vie et de nos prises de conscience.

Dans la partie qui suit, je veux vous entraîner dans une
réflexion plus profonde et partager les prises de conscience
que j'ai eues en cheminant jusqu'à présent. Ce sont des leçons
et des outils dont je me sers dans mes retraites et mes ateliers.
J'ai accompagné des centaines de gens à travers ce processus
que j'appelle *Sois, Ressens, Pense, Agis* et j'ai toujours vu un
changement radical dans leur vie. Mon espoir est qu'il puisse
vous être utile.

Avec amour,

Anne

CHAPITRE 20

Quatre petits mots

L aissez-moi vous décrire en détail la progression de *Sois, Ressens, Pense, Agis*, cet outil transformateur pour accueillir la vie un moment après l'autre à partir d'un espace intérieur plus profond et plus dense.

Il commence par quatre petits mots. En fait, ce sont quatre choses que nous faisons tous les jours :

Agir, Penser, Ressentir, Être

Vous remarquerez qu'*agir* vient en premier. Nous sommes pour la plupart toujours occupés à faire des tas de choses en n'ayant jamais assez de temps. Nous vivons généralement nos journées en réagissant par habitude, mécaniquement, en élaborant une stratégie pour notre prochaine action sans jamais nous arrêter pour nous demander pourquoi nous faisons ce que nous faisons. Souvent, nous agissons pour nous empêcher de ressentir l'inconfort pénétrant d'*être* tout simplement dans notre peau. C'est ainsi que nous vivons depuis un bon moment déjà.

Nous faisons tellement de choses, il est étonnant qu'il nous reste encore du temps pour penser. Mais *penser*, ça, nous savons faire ! Beaucoup ! Des dizaines de milliers de pensées par jour et la plupart, recyclées de la veille. De nos listes de choses à faire à nos inquiétudes en passant par nos soucis, notre mental tend à bavarder toute la journée. C'est tellement épuisant !

Quant à *ressentir*, quand nous y pensons, nous ne le faisons pas assez. Nous n'aimons pas ressentir intensément parce que nous n'aimons pas *ressentir* la douleur et la souffrance. L'engourdissement est plus confortable. Malheureusement, la conséquence de cet engourdissement est de nous empêcher de ressentir la paix et la joie qui nous sont offertes.

Et lorsque nous regardons *être*, eh bien, c'est là la grande ironie. Nous sommes des *êtres* humains et nous obtenons rarement d'*être* dans le courant d'une journée. Pourtant, *être* en toute simplicité est ce qu'on peut faire de plus puissant pour transformer sa vie du tout au tout. Dans l'immobilité, la paix et la facilité d'*être*, nous nous rappelons qui nous sommes vraiment. Nous vivons notre vie à partir de notre âme ancrée dans un corps. J'ai constaté que vivre à partir de cet espace invite à une intimité délicieuse dans nos relations avec les autres comme avec nous-même et se traduit par des guérisons et des bénédictions miraculeuses.

Ce qui m'amène à la grande prise de conscience que je veux partager avec vous. Les quatre choses que nous faisons tous les jours – *agir, penser, ressentir, être* – sont au cœur de notre souffrance actuelle du simple fait que nous ne les faisons pas dans le bon ordre et que nous les faisons dans des proportions moins qu'idéales.

On nous a enseigné depuis des lustres à prendre nos décisions importantes avec notre esprit logique et rationnel sans tenir compte des dimensions plus profondes, plus sages et plus créatives de notre être. Ce livre invite à envisager de renverser l'ordre qui préside de seconde en seconde à notre vie. Je propose que nous renversions cet ordre, que nous commencions par *être* et explorions ce qui se produit.

Sois, Ressens, Pense, Agis

Je postule qu'il est possible de vivre à partir de notre âme et de nous éveiller à la mémoire du corps tout entier quant à qui nous sommes vraiment. Il faut d'abord commencer par remarquer comment votre âme communique avec vous.

Est-ce que ceci trouve un écho en vous? Y a-t-il en vous un savoir qui a toujours été là, peut-être à l'arrière-plan de votre conscience, pointant le nez dehors à l'occasion, dont vous ne tenez pourtant pas compte la plupart du temps? Ressentez-vous une sensation viscérale, un tiraillement dans le plexus solaire, un émoi du cœur qui vous fait comprendre que quelque chose d'important veut attirer votre attention? Comment le savez-vous? À quoi ressemble cette sensation pour vous? Comment la décririez-vous?

Je crois que nous l'avons tous. Je l'appelle «la boussole de l'âme» parce que c'est le point par lequel notre âme et notre «plan d'âme» communiquent avec nous et nous guident. Notre boussole d'âme est un système de guidance divin qui communique avec nous par le champ de notre corps énergétique intérieur. Bien qu'elle s'exprime souvent plus fort en passant par notre cœur, notre boussole d'âme peut aussi le faire en passant par chaque cellule de chaque organe et système de notre corps. C'est un savoir intime qui nous accompagne dans notre cheminement et nous maintient en phase avec les désirs les plus profonds de notre âme.

Une boussole nous aide à établir notre trajectoire et à garder le cap quand nous naviguons sur l'océan ou marchons dans la forêt. Nous regardons souvent notre boussole pour nous assurer que nous suivons le bon chemin. Notre boussole d'âme fait la même chose dans notre vie. Cette boussole se trouve dans le champ intérieur du corps. Chaque fois que nous entrons en contact avec elle, elle nous montre où nous en sommes par rapport aux désirs de notre âme. Elle nous informe de notre position sur le chemin et nous pousse doucement (ou vigoureusement) en direction de notre plan.

Si tout cela vous est étranger ou si vous en êtes conscient mais que vous ne l'avez pas pleinement intégré dans votre vie, je veux vous aider à refaire connaissance avec votre boussole d'âme.

Qu'elle nous apparaisse comme un feu, sonne comme une voix qui murmure ou se présente comme un savoir du cœur, notre boussole d'âme communique avec nous par des moyens qui sont propres à chacun de nous. Et quand elle le fait, une partie de nous sait qu'il est important, crucial et parfois même qu'il en va de notre vie que nous lui prêtions attention. Une partie de mon plan d'âme consistait à apprendre à mieux connaître le mode de fonctionnement et de communication de cette boussole d'âme. J'ai dû beaucoup m'exercer. Plus nous entrons en contact avec notre boussole, plus nous l'écoutons et agissons en fonction de ce qu'elle nous dit, plus elle s'accorde d'elle-même et devient un instrument de précision. Le champ intérieur de notre corps devient alors un mécanisme bien harmonisé pour l'expérience, l'expression et la manifestation de notre âme.

CHAPITRE 21

Un boulot de l'intérieur

———❧———

A llez n'importe où dans le monde et demandez aux gens ce qu'ils veulent le plus. La réponse sera le plus souvent « je veux être heureux » ou une variante sur ce thème. Le bonheur semble être un désir universel. Au cœur de tous, femmes, hommes et enfants, il y a le désir inné de se sentir bien, ce qui a amené l'humanité à rechercher encore plus de bien-être. Nous l'avons cherché de bien des manières différentes, obtenant bien des résultats différents. Mais le cœur de la quête reste le même : nous voulons que nos besoins soient comblés, nous voulons être joyeux et en paix et nous voulons ne pas vivre de sentiments et d'expériences désagréables. Ai-je raison ?

Ce que j'ignorais quand j'étais au début de la vingtaine, c'était que la joie véritable ne dépendait pas de ce que je faisais, de mon niveau de confort matériel, de mon assurance face à ma carrière et de ma relation future ou de la façon dont les autres me percevaient. J'avais tout faux. Je laissais le monde extérieur me dicter ce qui était important, ce qui comptait, et mon bien-être émotionnel et spirituel ne semblait pas pertinent dans cette liste.

Si quelqu'un m'avait dit qu'il y avait un autre chemin, je ne crois pas que je l'aurais écouté. J'avais bu le *philtre* magique. Je savais comment évoluer dans le monde matériel et me rendre où je devais être. Et le philtre m'avait promis le bonheur une fois que j'y serais. Mais cette nuit-là dans la voiture, j'avais eu une vision de moi incroyablement joyeuse et en paix. C'était plus un sentiment ressenti qu'une compréhension intellectuelle. J'avais compris que ces sentiments correspondaient à mon essence profonde, par opposition à ce que je m'efforçais d'atteindre. En fait, je n'avais pas à faire quoi que ce soit. C'était un état *d'être*, comme me souvenir de quelque chose qui avait toujours été là mais qui avait été caché dans l'ombre.

Deepak Chopra conseille : « Soyez heureux sans raison, comme un enfant. Si vous êtes heureux pour une raison, vous avez un problème parce que cette raison peut vous être enlevée. » Je trouve cela sensé. Si je cherche un bonheur durable qui ne fera pas qu'aller et venir en fonction des saisons, j'ai besoin de me mettre en quête de quelque chose où je peux ancrer mon bonheur – et ma valeur, d'ailleurs – pour m'associer à quelque chose d'éternel, de constant et de fondamental. Quelque chose qui est « sans raison ».

Si mon sentiment de bonheur tient à un plaisir dépendant d'un facteur extérieur – comme certaines personnes et leur opinion, un intitulé de poste ronflant ou la dernière tendance mode –, mon bonheur sera éphémère et fugace. Il viendra et partira en même temps que les gens changeront d'idée, que les biens matériels se briseront ou que le statut et le succès disparaîtront. C'est la même chose avec la nourriture, le sexe, l'alcool, les drogues, les divertissements ou les sports. Ils procurent un plaisir passager aux sens mais ils sont toujours fugaces et on ne peut pas compter sur eux comme source de bonheur fiable.

Pour certains, ces expériences fugaces de béatitude suffisent pour les maintenir à flot et investis dans leur vie. Par contre, pour un bon nombre parmi nous qui entendons et sentons l'appel de revenir à notre âme, il ne suffit pas de simplement frôler l'éternel, nous voulons le connaître et l'incarner en nous. Nous voulons nous souvenir de notre essence sous cette forme. Alors nous nous lançons sur le chemin de la quête du retour à la maison.

J'en suis venue à comprendre qu'il n'y a rien de mal à jouir de ces charmants plaisirs extérieurs. Au contraire, ils font partie de l'exquise et délicieuse expérience humaine, tant que je ne me cherche pas en eux et que je ne m'identifie pas à eux. Si je veux me relier à une paix plus profonde et plus éternelle, je dois investir mon attention et mon sentiment d'identité ailleurs que dans l'éphémère.

La paix que j'ai ressentie la nuit de l'accident venait d'en dedans de moi. Elle émanait, comme un phare, de quelque part dans mon corps. Ce n'était pas une compréhension intellectuelle. Cette paix n'était conditionnelle à rien d'autre en dehors de moi. Elle n'était pas logique, elle ne venait pas du bon sens. Elle « *était* » tout simplement, sans excuse, justification ni explication. Elle me semblait sans limite et en même temps née de l'intérieur, reliée à un sens que je percevais dans mon être intérieur. Où dans mon corps ? Quel sens ? C'était difficile à dire sur le moment. Elle me semblait toujours très abstraite et pourtant plus réelle que tout le reste. Je savais en revanche qu'elle était inaltérable, plus ancrée que tout ce que j'avais connu dans cette vie. Elle ne pouvait pas être affectée ou m'être enlevée – tout ce que je pouvais lui faire, c'était oublier de me souvenir d'elle.

Il y a quelques années, je suis tombée sur une importante étude de sociologie sur le bonheur, la plus longue étude longitudinale sur le bonheur à l'époque, illustrant ma croyance que le vrai bonheur vient bien de l'intérieur. En 1939, des chercheurs de l'école de médecine de Harvard ont recruté 268 hommes et ont entrepris d'examiner tous les aspects de leur vie pour établir les facteurs d'une vie « optimale » ou heureuse. Cette étude a pris le nom d'étude Grant. Durant 75 ans, les chercheurs ont recueilli des données sur ces hommes. Ils ont recueilli des données sur leur santé mentale et physique, leur carrière, le plaisir qu'ils prenaient dans leur carrière, la qualité de leurs relations, leur mariage, leur vie de famille, leurs habitudes alimentaires, leurs hobbys, etc. En 2012, George E. Vaillant, qui avait dirigé l'étude durant les 30 dernières années, a publié ses résultats de recherche dans le livre *Triumphs of Experience*. Je vous en épargnerai la lecture. Après avoir examiné tous les aspects de la vie des 268 hommes, Vaillant a conclu par deux phrases simples mais révélatrices : « Le bonheur, c'est l'amour. Point à la ligne. »

J'adore !

Amour est un grand mot. Nous avons tous des définitions et des expériences différentes de l'amour. Le mot *amour* peut servir à décrire l'engouement que nous avons pour quelqu'un ou ce que nous ressentons pour le gâteau au chocolat maison. Il peut servir à décrire le sentiment qu'une mère a pour son nouveau-né. Il peut définir le message de Jésus et la mission de Mère Teresa. En fait, c'est un mot qui inclut tellement de choses que sa signification complète est parfois occultée.

En effet, il existe un élément commun au cœur de la définition de l'*amour*. Ce point commun est l'expérience de la relation. La nature et l'objet de cette relation définissent ce que l'*amour* veut dire pour nous.

Quand cette relation vient de notre cœur, qu'elle touche le cœur des autres et inclut toute l'existence, l'amour devient plus qu'un sentiment ordinaire. Il se révèle comme la force la plus puissante qui soit et peut servir à guérir, transformer et faire des miracles.

Le philosophe spirituel Peter Deunov (1864-1944) dit de ce type d'amour que c'est de l'amour divin. Contrairement à l'amour humain, qui peut fluctuer et varier en intensité, l'amour divin est éternel et inconditionnel. Au cours des mois précédant son décès, mon cher ami Wayne Dyer a parlé avec amour de Peter et de cet amour. Il a dit que cet amour n'a pas de contraire. Je crois qu'il se rapprochait beaucoup de cet état avec le pressentiment de sa transition imminente, comme nous le voyons clairement aujourd'hui avec le recul. En présence de Wayne, vous aviez un aperçu de cet amour. Quand il vous écoutait ou parlait avec vous, vous saviez que vous étiez la personne la plus importante au monde, que vous comptiez plus que tout, que vous étiez profondément aimée. Il était et reste une manifestation de l'amour divin.

L'amour – que ce soit pour un repas, un animal de compagnie, une peinture, un endroit, une personne ou un dieu – engage toujours l'expérience de la relation, avoir des affinités et être en lien. Il y a aussi dans la relation l'expérience de la paix parce que nous savons que nous ne sommes pas seuls, que nous partageons une expérience de complétude unique. C'est l'expérience d'entrer en relation, de créer des liens avec cette relation et d'ancrer notre image de nous-même dans quelque chose, quelque part ou quelqu'un. Ainsi, si je ressens de l'amour pour mon chien, une partie de moi s'identifie à lui. Je me vois dans l'être sensible qu'il ou elle est et la reconnaissance ou la réciprocité me fait alors sentir « bien ».

Donc, si le bonheur est l'amour et l'amour est l'expérience de la relation, un questionnement me vient : *Se pourrait-il qu'il y ait une relation qui a toujours été là – qui n'a jamais été rompue et ne le sera jamais ? Montre-t-elle la voie de l'expérience inconditionnelle et peut-être durable de la joie ?*

Le rapport le plus important est celui que nous avons avec notre être intérieur profond. La qualité de cette relation primaire colorera la qualité de toutes nos autres relations dans la vie. Elle définira notre expérience du bonheur. Le secret pour créer plus de joie, de paix et de sens, consiste à comprendre, encourager et nourrir cette relation.

CHAPITRE 22

Nous sommes éternels

Il y a peut-être eu des évènements dans votre vie qui vous ont amené à repenser la perception que vous aviez de vous-même. Il n'est pas nécessaire que ce soit un accident. Nous ne sommes pas obligés d'attendre les drames et les traumatismes pour allumer la divine étincelle en nous. Cela peut se faire subtilement. Avez-vous déjà vécu des moments où vous avez su sans l'ombre d'un doute que la réalité n'était pas telle qu'elle vous apparaissait ? Avez-vous déjà eu des moments où vous avez senti qu'une intelligence plus vaste était à l'œuvre et sollicitait votre attention ?

Peut-être qu'avant de vous endormir le soir, entre le sommeil et l'éveil, vous entrevoyez ce qu'il y a d'autre dans l'univers. Quand vous marchez dans la nature et que le mystère de la forêt vous submerge de sa beauté et de sa sagesse, que les évènements synchrones se multiplient. Ou bien, quand vous lisez un livre qui semble avoir été écrit juste pour vous et que vous pouvez entendre l'appel intérieur de quelque chose de connu, de rassurant et pourtant d'indescriptible et de mystérieux. Alors, vous vous arrêtez et vous vous demandez : qu'est-ce qu'il y a d'autre ?

Les expériences transcendantes que j'ai vécues m'ont enseigné de façon vraiment tangible que je n'étais peut-être pas celle que j'avais cru être et que j'étais peut-être passée à côté d'un élément fondamental de ce qu'on appelle «la vie». J'ai compris petit à petit que j'avais été mal informée sur qui j'étais au fond.

En effet, nous avons été mal informés. Ce n'est pas la faute des médias, de nos professeurs ou de nos parents. Ce n'est la faute de personne. En tant que groupe, nous ne connaissions rien d'autre. Il est cependant important d'admettre que nous avons été mal informés sur notre nature même.

Je suis humaine. J'ai un corps qui me suit depuis le début de cette vie. J'ai un esprit vif et brillant et je peux choisir librement grâce à lui. J'ai des traits de caractère, j'endosse des rôles et je *fais* beaucoup de choses. Mais parlons d'avant ma conception. Qui étais-je alors, avant mon intellect, avant mon corps, ma personnalité et ce que je fais? Et quand je mourrai, qui serai-je? Certainement pas mon intellect et mon corps pourrissant, ni mes cendres.

En réalité, je ne suis pas mon corps, mon intellect, ma personnalité, les rôles que j'endosse ou ce que je fais. Je le sais parce qu'en l'absence de la perception consciente de toutes ces choses, j'ai senti que j'étais beaucoup plus vaste qu'elles dans l'épave de la voiture. J'ai fait l'expérience de qui j'étais sous une forme qui était plus «moi» et plus en amour et en joie que jamais auparavant. C'est la même chose pour mon expérience avec ma grand-mère après son décès. Elle n'avait plus de corps, d'intellect ou de personnalité; pourtant, elle était pour moi beaucoup plus «elle-même» qu'elle ne l'avait jamais été.

Qui suis-je, alors? Qui sommes-nous?

Si le sens de notre bonheur dépend de la qualité de la relation que nous avons avec notre être intérieur, alors à quoi correspond le « qui » associé au « je » ou encore au « vous » ? C'est une des questions parmi les plus importantes que nous pouvons nous poser à n'importe quel moment de notre vie et continuer de nous poser tant que nous vivons. Pourquoi ? Parce que la réponse n'est pas la destination mais un cheminement continu, sans fin, à travers le grand mystère. Notre concept de soi a été si incroyablement façonné par la culture, la religion et les valeurs de notre famille et de notre communauté qu'une grande partie de ce qui compose ce concept pour nous se fonde sur des croyances qui ne sont pas vraies pour nous. Le plus souvent, notre identité a été construite sur les croyances que nous avons adoptées d'autres personnes ou sur des expériences passées que nous avons vécues, ce qui nous garde beaucoup plus « petits » que ce que nous sommes en réalité.

Nous avons adapté notre identité pour qu'elle se moule à un monde qui reflète surtout l'idée que les êtres humains sont des entités séparées les unes des autres, imparfaites et fragiles, toujours à lutter contre le temps et la vieillesse, et à se battre les uns contre les autres pour avoir raison et être validés. Si nous avions su ou si on nous avait enseigné très jeunes que nous faisions partie d'un divin Tout interdépendant, que nous étions brillants au-delà de notre imagination, aimés et guidés à chaque étape de la route, nous vivrions dans un tout autre monde. Je ne serais pas en train d'écrire ce livre. Nous n'aurions pas besoin de livres pour nous aider à nous rappeler qui nous sommes en fait. Mais voilà où nous en sommes ! Par conséquent, il est essentiel et crucial selon moi que nous nous renseignions sur cette croyance fondamentale concernant notre identité si nous escomptons changer notre réalité.

La contemplation silencieuse et quotidienne de la question « qui suis-je ? », dans un état d'introspection, ouvre notre esprit et notre corps à ce qu'il nous reste encore à découvrir à notre sujet. Il vaut beaucoup mieux poser la question que trouver la réponse. Réfléchir à la question « qui suis-je ? » sans chercher la réponse établit une communication avec l'énergie du Divin et petit à petit, notre concept de soi s'élargit. C'est comme demander à l'Univers : qui ou qu'est-ce que je peux devenir en dehors de ce que je sais déjà à mon sujet ? C'est autoriser l'expansion de nos limites personnelles. De plus, nous poser cette question fondamentale ouvre la porte énergétique qui donne sur notre boussole d'âme, notre relation avec *être*. Nous commençons à échanger plus directement avec notre âme.

Au cours des dernières années, voici qui je me suis rappelée être. Je l'intitule mon manifeste *Je Suis* :

> *Je ne suis pas le corps. Je ne suis pas l'intellect. Je Suis un être spirituel et énergétique illimité. Je Suis éthérée et éternelle, une énergie précise potentielle circulant dans un corps physique, bouillonnant de possibilités et d'abondance. Je Suis Une avec une intelligence, une conscience universelle que j'appelle le Divin et je partage ses qualités universelles, omniscientes et toujours désireuses d'évoluer. Je Suis cette intelligence qui donne vie à tout. Ma vraie nature existe à un niveau plus profond que ce que je suis capable de voir, sentir, toucher, goûter et ressentir. Pourtant, ces sens me permettent de faire l'expérience de ma vraie nature et de la manifester de façon concrète dans ce monde. Exactement comme l'énergie se meut et transforme la matière, mon âme circule dans mon corps et mon intellect et transforme mon être et mon monde. Quand l'esprit que je suis ne peut pas circuler librement, je ressens de la souffrance. Quand l'esprit que je suis est autorisé à circuler sans entraves, je ressens de la paix, de l'amour et de la joie. Mais indépendamment de mon expérience, Je Suis Amour divin et je suis soutenue par cet amour, même quand mon intellect l'oublie.*

Cela veut dire qu'au fond, ma nature est éternelle et immortelle et aussi que rien de ce qui peut se produire dans ma vie humaine ne peut la modifier ou l'altérer. Mon essence était là bien avant ma naissance et perdurera longtemps après ma mort. J'ai toujours *été* et mon éternité est ici pour de bon. La vôtre aussi.

Je n'ai pas toujours su cela. Loin de là. D'ailleurs, comme vous l'avez probablement remarqué, la majorité des gens ne vivent pas de cette manière. La plupart n'ont pas été exposés à cette information en grandissant. Par conséquent, *agir* et *penser* ont tendance à être nos premières règles d'engagement. *Ressentir* et *être* viennent après coup si nous prenons le temps, et bien souvent nous ne le prenons pas. En mettant *agir* et *penser* au second plan et en accordant une place de premier choix à *ressentir* et *être*, nous pouvons intégrer notre vérité à notre quotidien et vraiment la vivre, pas juste en parler ou y réfléchir.

CHAPITRE 23

La vie conditionnée
par l'extérieur

―――∞―――

J e me rappelle qu'il était très important pour les adultes
autour de moi que je me tienne occupée en grandissant. Ils
semblaient ennuyés si j'avais l'air de ne rien faire, si je faisais
la grasse matinée ou si je restais tranquillement assise, sans
plus. S'ils se rendaient compte de mon immobilité, je me faisais
souvent dire de faire quelque chose de productif, de me rendre
utile. Être tranquille gênait et être occupé était une dépendance.
Agir était une dépendance.

J'ai donc grandi en apprenant à être mal à l'aise avec la
solitude et le silence. Une fois adolescente puis jeune adulte, je
suis devenue effrayée par l'idée d'être seule. J'avais ce besoin
pressant de remplir les espaces silencieux et vides de ma vie.
J'avais toujours besoin de distractions : gens, nourriture, alcool,
projets, défis, drames, nouveaux rôles, nouvelles identités.
J'étais mal à l'aise de juste m'arrêter pour *être*.

Mon sens de l'amour et de la valeur était très lié à l'approbation et à la reconnaissance du monde extérieur. *Penser* à des
moyens d'être « vue » et « bonne » a fait partie de mes soucis

quotidiens dès l'âge de 8 ans. C'est seulement plus tard dans ma vie que j'ai pu dresser un portrait complet de l'étendue de mes croyances concernant la valeur, l'amour et la relation. Leurs multiples couches se sont révélées à moi tout au long du travail émotionnel que j'ai fait sur moi et que je continue de faire. Chaque fois qu'une couche de honte ou de culpabilité est reconnue, réglée et libérée, j'ai une vision plus large de ma vraie nature et un sentiment plus profond de ma véritable identité.

Malgré tout, j'ai remarqué que je ne suis pas la seule à ressentir cet inconfort. Dans la solitude et le silence, le bagage émotionnel qui n'a pas été réglé monte à la surface et peut sembler perturbant et intense, effrayant même. Alors, nous nous tenons occupés. Nous travaillons beaucoup, nous mangeons beaucoup, nous faisons beaucoup d'exercice, nous regardons beaucoup la télé, jusqu'à ce que nous soyons si épuisés que nous nous endormons au son des émissions.

Il est intéressant de remarquer ce que les gens disent lorsque vous leur demandez comment ils vont. Souvent, c'est quelque chose comme : «Oh, tu sais, je me tiens occupé.» Il y a une expression en français, *passer le temps*[VII]. J'ai entendu ma grand-maman dire tellement souvent cette phrase au cours des années qui ont précédé sa mort, comme si le but de sa vie était de se tenir occupée, de continuer à trouver des choses à *faire* pour que le temps puisse passer de façon tolérable. C'est comme si elle attendait la fin et se distrayait jusque-là. L'idée que le temps est quelque chose qui nécessite notre aide pour passer est passablement absurde quand vous y réfléchissez bien.

À moins que nous ayons eu d'autres modèles qui se connaissaient très bien et accordaient de la valeur au potentiel créatif de l'introspection et de la solitude, ceux que nous avons eus avaient probablement aussi du mal à être seuls et ressentaient aussi le

---

VII. En français dans le texte.

besoin de remplir le vide. Ce n'est pas un jugement parce qu'ils ont fort probablement eu le même genre de modèles et fait de leur mieux. Cependant, il est important de connaître cette information parce qu'à cause de *leur* malaise, nous avons appris qu'*être* en toute simplicité – juste *être* nous-même – sans raison, n'était pas acceptable. Ce n'était pas assez. Nous n'étions pas assez. Nous avons aussi appris que ce que nous *faisions* et comment nous étions perçus comptait plus que qui nous *étions*. Nous étions reconnus et vus quand nous faisions certaines choses qui plaisaient aux adultes autour de nous. Nous étions alors «un bon garçon», «une bonne fille». Alors, nous comptions.

C'est ainsi que commence la vie conditionnée par l'extérieur. L'expérience de ne pas être vu, entendu ou de ne pas être assez devient trop difficile à assumer émotionnellement pour l'enfant parce qu'il la vit en l'absence d'une relation, sans reconnaissance ni amour. L'autre solution consiste à *faire* ce qui rapporte de la reconnaissance, d'élaborer inconsciemment des stratégies pour obtenir la validation et l'attention. L'amour et la valeur deviennent alors fondés sur le fait d'être reconnus pour ce que nous *faisons* par les personnes qui comptent le plus à nos yeux. Les moyens que nous avons employés pour recevoir l'attention des adultes ont donc façonné notre définition de l'amour. Souvent, ces moyens étaient extérieurs à nous.

Des semaines après l'accident de voiture, j'ai compris petit à petit qu'il fallait que je fasse la lumière sur les blessures que je portais en moi. J'ai commencé par apprendre à ralentir la cadence. Même si je savais qu'être en couple avec Paul serait merveilleux, je savais aussi qu'il n'était pas vraiment question de lui. Il était question de moi et de la relation que j'avais avec moi. Je me rappelle que je me suis sentie accablée devant la distance énorme qu'il y avait entre la paix que je savais pouvoir vivre et ce que je ressentais en réalité quand j'essayais de m'*arrêter* par moi-même. C'était difficile, effrayant et déroutant. On aurait dit que je vivais dans deux réalités qui se combattaient mutuellement en essayant constamment de prouver que l'autre était erronée. Ralentir faisait souvent mal, littéralement mal. C'était frustrant d'arrêter et de ressentir de l'anxiété. J'avais l'impression d'aller à l'encontre de mon intuition parce que lorsque je finissais par m'arrêter, je devenais triste et déprimée. Cela me semblait tout simplement « mauvais » pour moi.

J'emploierais les dix années suivant l'accident à combler cette lacune et à apprendre à m'arrêter, à interrompre *agir* et *penser* assez longtemps pour commencer à accueillir ma tristesse et mes autres émotions. Mon cheminement consistait à *ressentir* le malaise émotionnel et physique qui venait d'*être* en toute simplicité, tranquillement, en silence, dans ma peau, et de *ressentir* réellement ce que voulait dire être une âme vivant dans ce corps qui était le mien. Il aura fallu dix ans avant que je sente que je vivais une réalité unifiant tous les aspects de ma vie.

CHAPITRE 24

Cadeau du matin

Quelle est la première chose que nous faisons tous au réveil le matin ? On s'étire, on fait du café, on prend une douche ? Mais avant tout cela, quelle est la *toute* première chose que nous *faisons* avant même de sortir du lit ?

Dès que notre perception consciente revient « en ligne » le matin, nous remettons notre tête sur nos épaules et nous réenfilons le costume de notre vie, celui que nous avons laissé à côté du lit le soir précédent. C'est un processus mécanique et avant même d'y penser, nous sommes la même personne que nous étions la veille.

Chaque matin, nous nous éveillons du monde de l'inconscient pour entrer dans le monde de la perception consciente. Le jour est tout nouveau, pétillant de possibilités illimitées. Les mystiques et les maîtres spirituels ont dit à toutes les époques que les premiers instants de la journée sont sacrés et divins. Dans l'hindouisme, les heures entre 3 h 30 et 5 h 30 sont appelées *Brahma muhurta*, ce qui se traduit par *temps de Dieu*. Dans la tradition du yoga, on dit que méditer juste avant l'aube induit des états méditatifs plus profonds puisque le mental est silencieux après le sommeil de la nuit. Dans les Yoga sūtra de Patañjali, Swami Satchidananda qualifie *Brahma muhurta* d'« heure très sacrée pour méditer ».

Notre conscience se lève exactement comme le soleil. Exactement comme la lumière se met à animer tout ce qui vit, nous accordons notre attention à notre corps et notre intellect, à notre existence. Chaque matin, nous nous éveillons de notre repos devant un jour qui n'a jamais existé encore. Un jour riche de la possibilité latente de tout et de n'importe quoi, comme une toile vierge qui attend d'être peinte. Chaque matin, nous avons la possibilité de nous créer une journée totalement différente ; nous avons la chance de remplir la coupe de notre mental et de notre corps de n'importe quel pensée, intention et sentiment que nous choisissons.

Nous recevons ce cadeau chaque jour... et nous sommes aussi des êtres d'habitude !

Donc, les pensées, les intentions, les listes de choses à faire, notre état mental et émotionnel de la veille, nos traits de caractère et les rôles se rapportant à ce qui se passe alors dans nos vies, affluent et remplissent mécaniquement tout cet espace vacant, surtout avec le même vieux fouillis qui y était déjà la veille. Nous établissons rapidement les bonnes choses à *faire* ce jour-là pour aller dans le sens de toutes ces pensées et de tous ces objectifs.

On dit que les humains ont en moyenne 65 000 pensées par jour. Nous savons que nos pensées créent notre réalité ; on pourrait donc croire qu'avec autant de pensées, nous aurions une bonne variété de nouvelles idées et d'expériences tous les jours. Le hic, c'est que 90 % de nos pensées quotidiennes sont recyclées de la veille. Et dès le point de l'aube, elles reviennent en masse, colorant ainsi les pages blanches de notre intellect. Si nous n'en sommes pas conscients, si nous ne nous prenons pas sur le fait avant, nous reprenons exactement où nous nous sommes arrêtés la veille et peu de choses changent de jour en jour. Nos journées finissent par se ressembler. Les jours familiers se fondent en semaines, en mois puis en années sans beaucoup changer et nous nous demandons pourquoi nos bonnes intentions et nos résolutions ne se sont pas révélées payantes.

Nous retombons inconsciemment dans l'esprit d'hier en grande partie parce que notre capacité de *penser* et d'*agir* a été placée au centre de notre existence. Nous avons appris que *penser* et *agir* ont un lien direct avec notre identité en tant que personne et que *penser* et *agir* doivent avoir la préséance sur *ressentir* et *être*.

C'est réconfortant d'avoir nos pensées en ordre, d'être certain de ce que nous savons, de savoir exactement où nous allons et de nous tenir occupés en conséquence. C'est réconfortant de savoir que j'ai des choses à *faire*, des rôles à jouer, que je participe à tel et tel projet, qu'on a besoin de moi. C'est réconfortant, cette stabilité de *savoir* parce que c'est apparemment comme cela que les autres vivent et c'est le modèle qui nous a été montré toute notre vie, après tout.

C'est réconfortant à *savoir* parce qu'autrement, nous vivons le malaise de notre corps qui essaie d'attirer notre attention en exigeant que nous *ressentions*. Dans le silence, sans aucune distraction, nous découvrons souvent des intensités variables de souffrance. Pour certains, c'est un malaise pénétrant et sourd, comme un appel persistant à ressentir quelque chose de désagréable, d'irritant. Pour d'autres, c'est plus fort. En l'absence des distractions fournies par *penser* et *agir*, il y a un hurlement, un appel au secours sous forme de douleur chronique ou de profonde détresse émotionnelle.

Qui nous croyons être est souvent lié à ce que nous *pensons* et *faisons*. Donc, quand nous interrompons le courant de nos pensées, ou que nous arrêtons un moment de *faire* nos vies, nous pouvons nous sentir perdus. C'est ce qui s'est passé quand j'ai déménagé en Ontario. Mes pensées et mes stratégies étaient mes bouées de sauvetage et me maintenaient au-dessus des eaux troubles de mes peurs et de ma souffrance. Elles me gardaient saine d'esprit parce qu'elles gardaient le malaise à distance mais en fait, c'était plutôt le contraire. Elles m'empêchaient de plonger plus profondément et de vraiment me rencontrer. Elles me maintenaient à l'écart d'une créativité inimaginable et d'un amour sans pareil.

CHAPITRE 25

Se poser en soi

—◦✺◦—

A ujourd'hui, je suis en mesure de voir que le bruit constant en boucle dans ma tête m'empêchait d'apprendre à me connaître et aussi de reconnaître et d'accepter l'amour inconditionnel. Mon esprit cartésien menait la barque et il était toujours actif, bavardant sans arrêt et commandant avec assurance.

Alors, d'où vient ce bavardage ? Quand nous grandissons, notre intellect, que Carl Jung appelle l'ego, se conditionne à nous protéger de trop de souffrance émotionnelle. À juste titre. Nous avons besoin de cette protection parce que l'environnement n'est pas toujours sans danger, émotionnellement parlant. Notre intellect est capable de fonctionner séparément de nos sentiments, ce qui fait qu'il peut prendre les commandes et nous protéger de trop de détresse. Il prend les commandes pour que nous puissions devenir plus résilients au type de milieu dans lequel nous naissons. C'est une réaction intelligente et nous n'aurions pas survécu autrement.

Ce processus de protection a toutefois des répercussions. Nous naissons avec un sentiment inné d'unité. Nous naissons sans avoir besoin de protection émotionnelle. Mais en cours de route et à divers degrés selon notre environnement, notre sentiment d'unité se fragmente petit à petit. Notre attention, qui se portait sur tout notre être et incluait tout et tout le monde autour, s'est éloignée de cette unité et est sortie du champ des sentiments présents dans le corps intérieur pour monter dans l'intellect et le monde extérieur. D'universelle, notre perception consciente est devenue sélective et bornée.

Jung en parle comme de la différenciation de l'ego. Nous avons adopté des croyances conditionnées par l'extérieur et créé des besoins conditionnés par l'extérieur. En conséquence, pour continuer de « nous protéger », notre intellect contrôle constamment notre perception consciente et « pense » en essayant de tout comprendre en même temps qu'il commente et juge tout.

Comme adultes, nous nous rendons peut-être compte que notre esprit est occupé et bavard mais souvent, nous ne savons pas comment le calmer. La protection qui nous empêche de ressentir la blessure du passé est tellement solide que nous ne savons pas comment nous y prendre pour apporter la paix à notre esprit et à notre corps.

Quand nous étions enfants, les émotions étaient souvent considérées comme des obstacles à notre « bon sens » et quand nous exprimions des sentiments, ils étaient perçus comme des moments de faiblesse ou un manque de maîtrise de soi. Bien entendu, ce n'est pas ce que tout le monde a vécu. Je sais toutefois que beaucoup en ont fait l'expérience. Et ce que je vois aujourd'hui, c'est une épidémie d'individus qui ne savent plus *ressentir*. Beaucoup ont oublié comment *ressentir* avec le cœur, au lieu de vivre les émotions juste mentalement.

Beaucoup ont appris que pour réussir, être accepté, estimé, vu et aimé, nous devions maîtriser nos émotions. Que peu importe ce qui ce passait, il fallait contenir notre côté émotif, passionné, confiant et exubérant, celui qui était étroitement relié au désir de notre cœur, de peur de subir d'autres blessures. En conséquence, nous entrons dans l'âge adulte avec beaucoup de bagage émotionnel non résolu.

Notre mental bien bavard détourne notre attention de ce bagage. Cependant, distraire la pensée ne fait pas disparaître la souffrance : cela ne fait que la masquer temporairement. Cela nous empêche certes de ressentir la souffrance évoquée par une situation donnée mais ce que nous ne comprenons pas bien souvent, c'est que cela maintient aussi à distance la paix et la joie. Dans *Le drame de l'enfant doué*, un petit livre que je recommande chaudement aux individus qui cherchent à explorer les racines de leur souffrance émotionnelle, Alice Miller, psychologue suisse spécialisée en abus émotionnel parental, dit : « C'est précisément parce que les sentiments d'un enfant sont si forts qu'ils ne peuvent pas être refoulés sans conséquences graves. Plus un prisonnier est fort, plus les murs de la prison doivent être épais. »

Nous ne pouvons pas être sélectifs avec les sentiments. Soit nous sommes ouverts à tout ressentir, soit nous ne le sommes pas. Soit notre cœur est ouvert à ressentir la douleur autant que la joie, soit il est fermé à tout sentiment. Le cheminement consiste donc à apprendre à ressentir la souffrance de façon sécuritaire et intégrée, sans nous perdre, pour pouvoir accueillir ensuite la paix, la joie et l'amour qui sont disponibles pour nous.

Quand nous nous arrêtons et que nous essayons d'*être* ou de *ressentir* pour la première fois depuis longtemps, ou peut-être pour la première fois de notre vie, nous pouvons avoir du mal à avoir confiance que c'est la bonne chose à faire. Cela peut paraître déstabilisant et contraire à l'intuition. Chez certains parmi nous, le bavardage du mental n'abandonne pas facilement, justement parce qu'il était là pour nous protéger de cette expérience. Voilà pourquoi beaucoup laissent vite tomber la méditation après avoir échoué à faire taire leur mental. Je l'ai fait maintes et maintes fois au cours des 15 dernières années. J'essayais de méditer, puis je renonçais parce que cela suscitait un malaise en moi et m'apparaissait inutile et improductif. Une fois que j'ai commencé à faire le profond travail de guérison de mes émotions, méditer est néanmoins devenu beaucoup plus facile.

Un de mes clients s'était mis à boire de l'alcool tous les jours à l'âge de 14 ans, l'année du divorce de ses parents. Petit à petit, il était devenu accro à la marijuana puis à des drogues plus dures. Il est venu me consulter à 33 ans, sobre depuis quelques mois, en dépression et paralysé par l'anxiété. Il était accablé par tous les aspects de sa vie et incapable de trouver quoi que ce soit qui le rende heureux. Sa toxicomanie quotidienne avait non seulement émoussé la détresse émotionnelle qu'il avait ressentie enfant mais aussi toutes les autres expériences émotionnelles qu'un adolescent et un jeune adulte traversent, les « bonnes » comme les « mauvaises ». Je suis certaine que vous pouvez imaginer l'intensité avec laquelle son corps a hurlé quand il a cessé de boire après 19 ans. Il a assurément senti la force de ses émotions l'envahir mais les murs de sa prison étaient tellement épais après des années et des années d'évitement émotionnel qu'il ne savait pas par où commencer. Lui dire de s'asseoir et de méditer n'aurait donc pas été efficace. C'était beaucoup trop à décoder et à gérer pour lui tout seul.

Il voulait retrouver sa vie mais ne savait pas s'il en avait jamais eu une, pour commencer. La toxicomanie avait tout maintenu « sous contrôle » et maintenant que cette distraction avait disparu, un train chargé d'émotions fonçait dans son corps, exigeant d'être ressenti alors qu'il n'avait pas cultivé d'outils pour le faire. Il y avait un moyen pour lui de revenir à ce qu'il était au fond – entouré des bonnes personnes, avec de la patience et beaucoup d'amour – mais ce que je veux souligner ici, c'est que nous ne sommes pas obligés d'attendre d'être aussi anesthésiés pour demander de l'aide afin d'entreprendre de rentrer à la maison. Nous pouvons commencer par travailler sur notre mental bruyant et trouver les moyens de faire régner la paix en nous dès maintenant.

J'aime vraiment le travail de Gabor Maté sur la dépendance. Maté est un médecin canadien bien connu, spécialiste de la psychologie du développement, du stress et la dépendance, et son point de vue sur la dépendance m'a vraiment aidée à comprendre notre tendance habituelle à fuir la souffrance causée par notre mental occupé. Il dit : « Toutes les dépendances ne sont pas ancrées dans les mauvais traitements ou les traumatismes, mais je crois vraiment qu'elles peuvent toutes être attribuées à une expérience douloureuse. Il y a une blessure au cœur de tous les comportements de dépendance. »

Je crois que nous avons tous à divers degrés des tendances à dépendre de quelque chose qui nous distrait de cette blessure. Nous « utilisons » tous quelque chose pour anesthésier notre souffrance émotionnelle non résolue – ce que certains appellent notre ego ou notre ombre –, qu'elle soit socialement acceptée comme Internet, magasiner ou être un bourreau de travail, ou réprouvée comme les drogues dures et l'alcool. Dans mon cas, c'était l'alcool à partir d'un âge beaucoup trop tendre, mais aussi créer des drames dans mes relations pour me sentir pertinente et validée et m'occuper sans arrêt de contrôler parfaitement tous les aspects de ma vie. Pour mon client, c'était l'alcool et les drogues. Pour le docteur Maté, c'était acheter de la musique classique. Le processus de dépendance est commun à tous, il varie simplement en sévérité chez chacun.

Peu importe à quel point notre blessure est grave ou bénigne, il vient un temps où nous sommes invités, encouragés, poussés ou forcés à regarder cette blessure non résolue qui nous empêche de faire complètement l'expérience de la plénitude de notre être. Pourquoi ? Parce que nous sommes tous humains et que nous avons tous été séparés de notre source lorsque nous sommes passés du confort de l'utérus de notre mère à la réalité séparée de l'humanité. Nous partageons tous cette expérience et ce désir d'être de nouveau complets.

Les traumatismes émotionnels du passé qui ne sont pas réglés nous séparent encore plus de notre plénitude et augmentent le bruit dans notre tête. Si je crois que je suis cet intense bavardage mental, je ne trouverai pas d'issue. Pour revenir à notre plénitude, nous devons d'abord comprendre quelques petites choses à propos du fonctionnement de l'intellect pour pouvoir l'aider à se calmer et ne pas automatiquement y associer notre identité.

Mon ego est bien entraîné. Il me convaincra à coup de raisonnement circulaire et je me perdrai de nouveau. En revanche, si je peux prendre un peu de recul et regarder mes pensées tapageuses d'un autre point de vue, du point de vue du témoin qui regarde la scène de très loin, je peux avoir un regard objectif sur ce qui est vraiment en train de se passer.

Au début, je me visualisais comme un tout petit Moi assis sur une chaise au fond de ma tête, complètement séparé de ce qu'il s'y passait. Cette minuscule perception consciente n'avait pas de mental bavard ; elle observait simplement la scène et remarquait les pensées, les sensations, les sentiments ou les images qui pouvaient monter. Ensuite, j'observais ces pensées, sensations, sentiments ou images du même point de vue détaché. Ce Moi ne jugeait pas, n'essayait pas de comprendre : il ne faisait qu'observer. À partir de cet espace, je sentais que j'étais plus libre pour choisir ce en quoi je croyais et ne croyais pas, ce qui était pertinent et utile et ce qui ne l'était plus. Quand j'ai commencé à faire cela, je me suis rendu compte que je ne m'étais jamais considérée comme étant autre chose que les pensées que j'avais sur la perception des autres à mon sujet.

J'ai dû m'exercer sans relâche pour arriver à extraire cette personne minuscule du tintamarre ambiant. J'ai dû apprendre à faire taire le bruit assez longtemps pour dégager un peu d'espace intérieur et avoir une perspective sur ce qui était vraiment en train de se passer là-dedans. Cette pratique a marqué le début de mon voyage de retour à la maison, à l'autre réalité entrevue lors de l'accident de voiture.

En fin de compte, avec l'aide de ma professeure Louise LeBrun, j'ai pu faire descendre ce Moi, cette perception consciente neutre, le long de ma colonne vertébrale jusque dans les mystérieuses profondeurs de mon être. Ce qui s'est produit alors a changé ma vie.

CHAPITRE 26

Le portail de l'âme

———— ❦ ————

L a santé n'est pas seulement l'absence de douleur mais la présence d'une perspective plus large qui incorpore les qualités de l'âme. Le travail sur le vieux bagage émotionnel que je portais en moi a fait disparaître la douleur dans mes sinus et dégagé le passage pour que mon âme s'exprime à travers moi. J'ai commencé à vivre des niveaux de tranquillité d'esprit que je n'avais jamais vécus avant. J'ai retrouvé ma *joie de vivre*[VIII] et ma vision s'est éclaircie, comme si j'avais déménagé de ma maison dans un petit coin d'une forêt obscure, au sommet d'une montagne avec vue sur tout le paysage. Ce changement de perception a changé ma vie. Et ma clé a été la « relation au corps ».

Le processus pour nous souvenir de notre âme engage de changer notre manière de nous percevoir et de passer de l'individu fini, limité par des pensées, des perceptions, des comportements et des rôles humains, à l'être créateur, spirituel et illimité. Vous éveiller à votre âme, c'est vous rendre brusquement compte que vous regardiez votre vie à travers une vitre sale sans savoir qu'il y avait une autre vision sans rien pour la filtrer. C'est changer

VIII. En français dans le texte.

la perception de notre identité, de l'image que nous projetons à l'extérieur au Soi vivant à l'intérieur. Cela peut se faire facilement quand nous détournons notre attention du bavardage incessant de notre mental pour la fixer sur l'intérieur de notre corps, sur notre boussole d'âme. C'est le processus qui consiste à rediriger notre attention, nos yeux intérieurs, sur la force de vie créatrice et immortelle qui *se déploie et s'exprime en nous et à travers notre horloge biologique.*

C'est également une nouvelle façon radicale de vivre, surtout si nous sommes habitués à nous connaître par nos pensées, nos perceptions, les perceptions des autres à notre sujet et les choses que nous faisons au quotidien. C'est une nouvelle façon radicale de vivre, surtout si nous avons jugé notre corps imparfait et en mauvais état, comme un ennemi qui tombe malade trop souvent et doit être encadré. Notre corps créateur est notre allié. Il a juste besoin que nous prêtions attention à son champ intérieur avec amour, compassion et patience et que nous le laissions faire ce qu'il fait le mieux : gérer l'énergie.

Nous ne sommes pas notre intellect, pas plus que nous sommes notre corps. Néanmoins, notre corps *est* le portail qui nous permet de nous connaître pleinement en tant qu'être spirituel. C'est la raison de notre présence ici. Comme âmes dans les mondes spirituels, nous ne pouvons pas voir, goûter et sentir. Nous ne pouvons pas étreindre et embrasser, et lever des yeux ébahis sur le ciel nocturne. Nous sommes ici pour faire l'expérience avec notre corps de la vie humaine d'une âme. Et quand je parle du corps, je parle aussi des émotions, des sentiments et des sensations qui vivent et circulent en nous à un niveau plus profond que ce que notre esprit est capable de saisir. C'est un champ de perception et nous pouvons en être conscients en acceptant d'expérimenter la vie autrement qu'avec notre seul intellect.

Le champ intérieur du corps existe tout près de l'âme. L'âme communique par l'entremise de sensations kinesthésiques et d'émotions intimes du corps. Quand nous vivons avec notre attention centrée surtout dans notre tête, nous ne pouvons pas avoir conscience de cette communication subtile. Cette perception consciente de tout le corps est le portail dont je parle.

Je suis consciente que l'idée de prêter attention à notre corps énergétique intérieur peut sembler très abstraite. Nous l'avons entendu dire dans les enseignements spirituels mais au fond, qu'est-ce que cela signifie en réalité ? Comment entre-t-on en soi, en fait ? Nous entendons les enseignements nous dire d'entrer en contact avec notre être intérieur, d'entrer en contact avec notre corps et de chérir notre temple. Comme nous avons tendance à les prendre au pied de la lettre, nous nourrissons le corps d'aliments sains, nous lui faisons faire beaucoup d'exercice, du yoga, nous buvons beaucoup d'eau et nous nous reposons beaucoup.

Bien qu'il soit très important de prendre ainsi soin de son corps, ce n'est pas ce que je veux dire quand je parle d'entrer en contact avec le corps intérieur. Ce n'est pas non plus la conscience de la sensation de douleur qui vient d'un os brisé ou d'une indigestion. C'est beaucoup plus subtil et présent avant même que la douleur de fait devienne perceptible. Quand notre corps est malade ou blessé, nous entreprenons de nous rattraper en prenant soin de lui. Mais nous pouvons être conscients de ses besoins physiques et émotionnels avant qu'il commence à nous crier après de douleur grâce à la conscience de notre corps intérieur. Le corps intérieur peut nous dire si quelque chose en nous est déséquilibré bien avant de commencer à crier de douleur. Il parle doucement au début, sous forme de picotement, de légère pression, d'inconfort ou de chaleur.

Avant de faire l'expérience corporelle totale de libérer mes émotions, je n'étais pas vraiment consciente de mon corps intérieur. J'en avais eu des aperçus sous forme de feu dans mon ventre et de folle certitude intérieure mais je ne comprenais pas tout à fait que ce n'était pas seulement des messages de mon âme mais aussi un appel à être et à vivre une minute à la fois. Après qu'une première vague d'émotions a eu traversé mon corps de cette façon si radicale et nouvelle, j'ai eu moins peur de ressentir cet afflux. La première fois, ma résistance était telle que l'expérience m'a semblé plus effrayante qu'elle ne l'avait été en réalité. Les fois suivantes ont été plus faciles parce que j'avais établi un lien de confiance avec mon corps et je savais aussi à quel point on se sentait libéré après. Aujourd'hui, la résistance est rarement présente et la vague ressemble moins à un tsunami glacial et davantage aux vagues chaudes d'Hawaï.

Notre corps intérieur nous informe de ce qu'il lui faut pour être en santé physiquement et émotionnellement. Il nous dit aussi comment il peut servir de canal idéal à la vie et à notre âme pour qu'elles circulent aisément dans notre corps. Comme il communique beaucoup plus subtilement que l'intellect toutefois, nous devons nous arrêter et faire taire notre mental un peu pour pouvoir vraiment entendre ses messages. Établir ce contact conscient entre le corps et les émotions nous ramène dans l'ici et maintenant, dans *être*. C'est assumer la responsabilité de ce qui vit en nous, de notre bagage émotionnel. Établir ce contact conscient entre le corps et les émotions est un pas hardi en direction du contact conscient entre l'âme et le corps. Quand nous sentons les émotions circuler en nous, nous commençons à sentir plus durablement aussi la force de vie en nous. L'instrument du corps s'accorde et s'harmonise avec les subtilités de l'énergie et son mode de communication. Ce processus est à l'image d'un étang d'eau terreuse. Quand la terre se dépose, c'est plus facile d'y voir clairement.

Dans cette optique, la progression *Sois, Ressens, Pense* représente une évolution naturelle qui trouve écho dans le monde naturel et la façon dont nos organismes sont conçus. La pierre d'angle de cette progression consiste à entrer dans *être* en *ressentant* le corps énergétique intérieur. En effet, *ressentir* le corps intérieur constitue le point d'entrée pour vivre une spiritualité incarnée ; il invite à une belle cohérence entre notre âme, notre corps, nos émotions, nos pensées, nos paroles et nos actes. Quand nous abordons notre quotidien de cette manière, nous puisons à un courant d'énergie et à l'amour qui a toujours été là mais auquel nous résistions.

Imaginez un instant que votre corps est un prisme, comme celui sur la couverture de l'album *Dark Side of the Moon* de Pink Floyd. Imaginez que votre âme est le rayon de lumière blanche qui pénètre le prisme. Pour s'exprimer sous forme d'arc-en-ciel multidimensionnel, le rayon de lumière a besoin du prisme. Notre âme a besoin de notre corps. Sans lui, elle ne peut répondre à sa raison d'être. Quand le prisme est clair, nous suivons le courant et nous vivons l'amour et la paix. Quand le prisme est troublé, nous résistons et nous vivons de l'inconfort et de la souffrance.

Le travail d'exploration personnelle de nos émotions dans le corps intérieur nous permet de laisser tomber cette résistance, d'arrêter de repousser la vie et de sentir ce qui est réellement là, ici et maintenant, en train de circuler dans notre corps. Nous pouvons alors laisser se déposer la terre des eaux troubles et entrer dans le courant de la vie et l'affluence de l'esprit. La vie demande alors moins d'efforts.

Il n'est pas toujours facile ou évident de vivre à partir d'un espace de *senti* et d'*être* mais cela en vaut amplement le temps et l'effort. C'est un cheminement courageux en même temps que sensuel. Je me rends de plus en plus compte à chaque jour à quel point les gens ont envie de *ressentir* davantage, de se sentir vraiment vivants. Si vous avez la bonne information et que vous voulez vraiment transformer votre vie, vous pouvez faire ce travail et arriver à la responsabilisation à l'aide de moyens autonomes. Vous pouvez devenir celui qui crée sa vie en collaboration avec l'univers.

Même si la tristesse et la peine seront peut-être les sentiments qui montent au début, *ressentir davantage* veut dire que nous pouvons nous ouvrir à ressentir aussi plus de paix et plus de joie. Chaque fois que nous libérons une émotion refoulée, nous nous allégeons, notre corps devient plus éthéré et nous ressemblons davantage à notre âme. Nous sommes invités à tout *ressentir* et à nous servir de ce corps qui est le nôtre aux fins pour lesquelles il a été conçu : être un véhicule qui permet à l'âme de *ressentir* cette expérience humaine. Quand nous sommes capables de voir notre être comme l'unité de traitement de notre expérience globale, y compris celle de la souffrance, nous souffrons moins.

Une très vieille fable bouddhiste illustre l'allègement de la souffrance quand elle est perçue du point de vue plus large de l'âme :

> *Un maître vieillissant se lassa des plaintes de son apprenti. Un matin, il l'envoya chercher du sel. Quand l'apprenti revint, le maître lui dit de mélanger une poignée de sel dans un verre d'eau puis de le boire.*

> *« Qu'est-ce que ça goûte ? », demanda le maître.*

> *« Amer », dit l'apprenti.*

> *Le maître gloussa et demanda au jeune homme de prendre une poignée de sel comme l'autre et de la jeter dans le lac. Les deux s'approchèrent tout près du lac en silence et une fois que l'apprenti eut mélangé sa poignée de sel à l'eau, le vieil homme dit : « À présent, bois de l'eau du lac. » Tandis que l'eau dégoûtait du menton du jeune homme, le maître demanda : « Qu'est-ce que ça goûte ? »*

> *« Frais », remarqua l'apprenti.*

« Goûtes-tu le sel ? », demanda le maître.

« Non », dit le jeune homme.

Alors, le maître s'assit à côté de ce jeune homme sérieux et lui expliqua avec douceur : « La souffrance de la vie, c'est le sel à l'état pur ; ni plus, ni moins. La quantité de souffrance reste exactement la même dans la vie. Mais la quantité d'amertume que nous goûtons dépend du contenant dans lequel nous mettons la souffrance. Alors quand tu souffres, la seule chose que tu peux faire, c'est élargir ta perspective. Cesse d'être un verre. Deviens un lac. »

La souffrance n'est pas éloignée. C'est notre rapport à la souffrance qui change. Nous sommes le lac. Nous sommes toute l'eau de l'univers. Quand nous évoluons dans notre monde avec un profond sentiment de contact intérieur, nous nous souvenons de cette vérité dans toutes les cellules de notre corps. Nous voyons tous les côtés d'une situation et nous ne nous bornons pas à l'illusion des limites.

CHAPITRE 27

Le corps créateur

C omme êtres humains, nous ne sommes pas seulement des masses de chair statiques. Nous sommes de l'énergie en mouvement et en tant que telle, nous sommes intrinsèquement créateurs. C'est ce que j'ai découvert par moi-même dans l'atelier *Women in Leadership* quand j'ai senti le mouvement de l'énergie déferler à travers mon corps comme une vague façonnant mon être. J'ai compris que j'étais tellement plus que ce que j'avais été amenée à croire. Ce jour-là dans l'atelier, je me suis souvenue de quelque chose que j'avais déjà su : comment j'avais vécu enfant.

Être créateur n'est pas un but à atteindre. C'est plutôt qui nous sommes. On nous a appris à tort que la créativité se limite à l'art et à quelques individus exceptionnels dotés de talents artistiques, quand la créativité est en fait la nature même de chaque être humain. C'est le « quoi » de notre configuration biologique.

Le point de vue mécaniste et déterministe de Newton sur tout, y compris les êtres humains, ne nous a pas aidés à nous comprendre. Cette science du XVIIIe siècle nous a définis comme des êtres limités, imparfaits et distincts du monde naturel. Bien que ce point de vue, ainsi que les apports de beaucoup de grands penseurs, ait été utile et à l'origine de nombreuses avancées mécaniques et technologiques, ce n'était pas une description qui convenait du corps ou de l'esprit humain. Ce point de vue ne laissait pas de place aux expériences sacrées ou spirituelles, de quelque nature que ce soit. Nous l'avons tout de même appliqué aux êtres humains et nous avons fondé des institutions basées sur cette compréhension.

Les créatures biologiques vivantes – le monde naturel et les humains – sont en réalité un flux et des progressions intrinsèquement dynamiques toujours en expansion. Nous sommes affectés, influencés et façonnés par l'énergie dans des cycles continus et sans fin. Les textes de sagesse de l'Extrême-Orient (comme les Védas) qui ont été écrits voilà plus de 3 000 ans, indiquent que notre espèce a déjà connu et incarné sa vérité créatrice et divine et que nous, Occidentaux, l'avons graduellement oubliée.

Aujourd'hui, nous sommes de plus en plus nombreux à nous rappeler que comme êtres humains, nous ne sommes pas de simples objets dans l'univers créateur mais son expression même. Comme entité collective, nous reconnaissons notre unité avec la nature et nous commençons à apprendre des processus que nous partageons avec la rose qui éclot, le papillon qui émerge et le mouvement cyclique de l'océan et du soleil.

C'est l'épigénétique, un champ d'études aux frontières de la biologie, qui m'a fourni la meilleure description de ce que j'ai vécu dans le programme *Women in Leadership* avec Louise. L'épigénétique est née d'une recherche qui a prouvé que nos cellules répondent à notre environnement plus qu'elles ne sont gouvernées par des gènes en particulier. Cette nouvelle biologie a montré que nos cellules sont dynamiques et dialoguent avec les différents environnements auxquels elles sont exposées. La recherche a aussi montré que les gènes peuvent devenir actifs ou inactifs selon leur environnement, y compris notre champ intérieur, c'est-à-dire nos pensées, nos émotions et nos croyances.

Cette science radicale, vulgarisée pour le grand public par des chercheurs comme la regrettée neuroscientifique Candace B. Pert et le biologiste cellulaire Bruce Lipton, nous apprend que le corps humain est un processus qui change et se poursuit constamment, composé d'énergie en mouvement interdépendante de ce qui l'entoure et réceptive à son environnement. Les constatations évaluées par les pairs nous apprennent également que l'énergie va et vient dans le champ de notre être biologique dans une communication multicanal constante entre notre corps, notre esprit et notre environnement, qui influe sur les cellules de notre être tout entier. Ce mouvement constant de l'énergie signifie que nous sommes tout le temps en train de changer. En fait, il est difficile de résister à ce changement. En vertu de notre créativité, le changement est la seule chose qui soit constante dans la vie.

Quand j'étais adolescente, on m'a raconté une tout autre histoire sur le corps humain à l'école. En conséquence, je n'ai jamais su que j'avais un rôle à jouer dans mon bien-être physique et que mon corps avait sa propre capacité d'adaptation et de guérison.

Mais je l'avais. Mon corps n'était pas stagnant. C'était un processus créatif.

Comme êtres humains, nous avons reçu le don du libre arbitre et nous pouvons choisir ce qui retient notre attention. Nous avons tendance à nous concentrer sur ce que nous pouvons gouverner et nous oublions qu'il y a une intelligence à l'œuvre dans notre vie comme dans toute vie et que lorsque nous tournons notre attention vers elle, nous avons très peu besoin d'*agir* et de *penser*. Nous n'avons pas besoin de nous mêler autant du processus créatif qui se déploie naturellement. En fait, moins nous nous en mêlons, mieux c'est. Quand une rose pousse, elle ne se demande pas comment elle pourrait pousser plus vite ou plus lentement, elle ne pense pas à devenir peut-être une violette ou une fougère pour pouvoir cadrer dans un jardin donné. Elle *est* juste une rose et pourtant, elle nous époustoufle. Si elle a besoin de quoi que ce soit de notre part, c'est de l'amour sous forme d'attention. Avec l'amour, elle est encouragée à devenir tout ce qu'elle peut être. C'est la même chose pour nous. La même force de vie circule en nous et la meilleure façon de la laisser tisser sa magie est de l'inviter et de lui permettre de circuler.

Pensez à une femme enceinte : quand un bébé grandit dans son utérus, elle n'a pas besoin de réfléchir à la manière dont le système nerveux organise les neurones du fœtus ou de s'occuper de superviser la formation de ses bras et de ses jambes. Elle prend soin de son corps, elle aime le bébé qui est en elle et elle s'aime.

L'élément primordial est le rapport au corps. Le corps est au cœur de *Sois, Ressens, Pense, Agis*. Souvent, quand nous parlons du corps dans un contexte spirituel, nous ne considérons pas sa fonction primaire d'instrument biologique traitant l'énergie de chacune de ses cellules. Nous ne le considérons pas comme le principal portail d'expression de l'âme. Or, c'est là que tout se passe. Tout ! Il est donc important de changer notre compréhension et notre conscience de ses subtilités.

Nous sommes nombreux à avoir lu tous les livres sur le marché. Nous savons de quoi la spiritualité a l'air et comment elle sonne. Nous connaissons les textes anciens, les mots sanscrits et les poses de yoga. Nous sommes capables de comprendre le concept de l'âme et d'une vie spirituelle. Je parle néanmoins ici de vivre la spiritualité à travers le corps. Je parle ici d'une spiritualité incarnée qui nous ramène à notre maison en nous.

CHAPITRE 28

Le langage de l'âme

———⊷⊶———

S avez-vous que vous pouvez ressentir de façon tangible une émotion avec votre corps énergétique intérieur ? Savez-vous que votre âme peut vous faire connaître sa présence à travers le champ de votre corps de perception ? Vous serait-il utile d'avoir un point de référence kinesthésique dans votre corps, sur lequel vous pourriez vous fier pour vous indiquer que vous êtes sur le bon chemin et vous guider vers votre destin ?

L'âme se sert des émotions pour communiquer avec nous. Ce n'est pas la même chose que ce que nous nous racontons mentalement sur nos émotions ou ce que nous comprenons intellectuellement de nos sentiments. C'est une sensation dans le champ de perception du corps, qui est à l'origine des émotions et de la compréhension. Les émotions indiquent que l'énergie veut bouger et que le changement est imminent. Les émotions dans notre corps font le pont entre notre âme et nos pensées. Elles nous indiquent que l'information qui nous est présentée – que ce soit quelqu'un qui parle, une chanson à la radio ou un souvenir – est importante. Nos émotions nous disent de prêter attention.

L'émotion perçue peut être subtile mais s'accompagne souvent d'une impulsion et d'une fougue résolue. S'il n'y a pas de déclencheur émotionnel rattaché à cette perception, elle est vécue simplement comme une pensée ou comme l'expérience d'*être*, en paix et content. Nous nous sentons alors ingénieux et ancrés. En revanche, quand une perception est associée à un déclencheur émotionnel, souvent à cause d'un conditionnement et d'une blessure du passé, ou simplement à cause de la beauté du moment, l'information est vécue comme une émotion. Dans ce cas, surtout si nous sommes en public ou en compagnie de gens que nous ne connaissons pas beaucoup, nous avons tendance à ne pas nous autoriser à *ressentir* l'émotion. Nous essayons plutôt de la comprendre, de l'éviter, de la régler ou de la reporter. Quoi qu'il en soit, nous la ressentons rarement dans les fibres de notre corps.

Nous avons été conditionnés à rationaliser cette fougue comme nous rationalisons nos pensées quand en fait, une émotion a besoin de plus. Le meilleur moyen pour vraiment comprendre ce langage de l'âme consiste à faire l'expérience subjective de *ressentir* cette force dans le corps intérieur. Cette force est présente en nous tous. La question est : lui faisons-nous confiance pour nous guider ?

Si l'émotion est la carte de l'âme, la sensation de l'émotion est son terrain. Les émotions naissent dans les fibres du corps et nous en faisons d'abord l'expérience sous forme de sensation. Quel que soit le nom que nous lui donnons – tristesse, colère, jalousie, ressentiment, bonheur –, le mot que nous choisissons n'a pas vraiment d'importance. Ce n'est qu'une étiquette, pas la vérité. Si nous tentons juste d'essayer de comprendre et de rationaliser une émotion, nous n'arrivons pas vraiment à rien de neuf. Nous pouvons atteindre à une certaine compréhension et elle pourra peut-être nous apaiser un petit moment mais le changement ne durera pas. Se servir de son intellect pour s'occuper de ses émotions, ce n'est pas de la transformation. Nous restons penchés sur la carte sans descendre vraiment sur le terrain. Nous ne pouvons donc pas faire l'expérience de la plénitude d'être totalement vivant.

Entrer en contact avec l'expérience subjective de l'émotion dans le corps est un moyen très différent pour nous comprendre. C'est faire l'expérience de connaître notre corps comme le véhicule de l'expression divine de qui nous sommes. C'est l'expérience authentique de la vie. C'est une façon de vivre intégrée – esprit, corps et âme.

Dans son livre *Molecules of Emotion*, Candace B. Pert, qui a découvert le récepteur opioïde du cerveau alors qu'elle était doctorante à l'école de médecine de l'université Johns Hopkins, parle des récepteurs des cellules cérébrales. Ces neurones sont responsables de la capacité du cerveau et du système nerveux de recevoir des stimuli et de provoquer une réaction dans le processus de perception. Contrairement aux théories scientifiques précédentes selon lesquelles les cellules cérébrales sont les seules à pouvoir percevoir l'information, les constatations de Pert montrent que chacune des cellules de l'organisme prend part au phénomène de communication. L'organisme tout entier traite l'énergie comme de l'information d'une manière qui s'apparente à celle du cerveau et il y a des cellules pour gérer l'information dans toutes les cellules de l'organisme. Toutes les parties du corps-esprit et toutes les expériences sont reliées grâce à la communication qu'elles partagent. Pert dit : « L'esprit est ce flux d'information qui circule dans les cellules, les organes, les systèmes du corps [...]. Nous pourrions donc dire que tout le système est un réseau d'information psychosomatique reliant la psyché, qui comprend tout ce qui est de nature ostensiblement immatérielle comme l'esprit, l'émotion et l'âme, au soma, c'est-à-dire le monde matériel des molécules, des cellules et des organes[3]. »

Cela veut donc dire que notre être tout entier – notre esprit conscient, notre esprit subconscient, notre âme, nos émotions, nos organes, nos sentiments et nos expériences intérieures – est essentiellement un gros cerveau dont toutes les parties sont interreliées. Notre corps est un réseau d'énergie créatrice en mouvement, constamment en train de s'occuper de ses différentes parties et de communiquer avec elles, y compris les parties les plus intangibles de l'esprit, des émotions et de l'âme. En termes simples, cela signifie qu'en accordant autant de valeur à l'intellect durant si longtemps, nous avons négligé notre partie la plus intelligente : notre corps intérieur.

Les constatations de Pert ont été incorporées à beaucoup d'autres conclusions de recherche à la fin du XXe siècle et ont changé le domaine de la psychologie en validant plus de médecines douces sur le marché. Nous savons maintenant que l'esprit et le corps sont reliés et qu'une émotion qui origine des cellules du corps peut se résoudre d'elle-même. L'intellect tend à traiter l'information de façon linéaire avec de petits changements progressifs. Par contraste, l'organisme traite les choses de façon holiste, en prenant en considération les systèmes biologiques et spirituels, et produit ainsi de grandes transformations avec très peu d'efforts.

En fait, la fonction première du corps est de traiter l'énergie très vite et très efficacement en transformant notre biologie pour que nous puissions grandir et évoluer. Le traitement des émotions au niveau cellulaire apporte une guérison plus profonde et plus durable que tous les modèles thérapeutiques traditionnels. Par ailleurs, comme elle est pilotée par l'énergie éternelle de notre âme, c'est une approche durable qui approfondit notre spiritualité. Plus je laisse mon être intérieur me montrer la voie en ressentant pleinement chaque moment, plus je deviens éthérée et à l'image de mon âme. Pour moi, c'est la voie de l'accomplissement de l'âme.

En réussissant à prendre conscience que les émotions sont une sensation du corps intérieur, nous pouvons dépasser l'émotion et faire l'expérience de ce que l'âme veut pour nous. Quand une communication d'âme monte sous la forme d'une émotion, notre tâche consiste à abandonner notre ego à notre unité de traitement – le corps – et à tourner notre *attention* consciente sur la sensation en nous autorisant à vivre pleinement l'expérience subjective de cette émotion sans nous juger. Quand cette guérison se fait à travers l'énergie qui circule dans le corps, nous pouvons être certains que l'âme nous retrouvera de l'autre côté d'une profonde respiration. L'expansion est toujours de l'autre côté de ce mouvement. Il y a toujours une plus grande paix de l'autre côté de la respiration. Il y a toujours une intimité plus profonde avec nous-même de l'autre côté de ce processus. Voilà ce que c'est que de ressentir pleinement.

Nous pouvons avoir confiance dans ce processus comme nous pouvons avoir confiance en la vie. Cette force façonne notre corps et notre vie de manières que nous ne pouvons même pas commencer à imaginer.

« *Venez au bord.*

Nous pourrions tomber.

Venez au bord.

C'est trop haut!

VENEZ AU BORD!

Et ils sont venus,

Et il a poussé,

Et ils se sont envolés. »

— CHRISTOPHER LOGUE (TRADUCTION LIBRE)

CHAPITRE 29

L'art de respirer

―∞―

A u moment de l'accident de voiture, je n'ai plus été capable de respirer durant quelques instants après la collision. Mes poumons s'étaient partiellement affaissés et j'ai paniqué. Par ailleurs, j'avais une hémorragie du foie. Sur le moment, mon organisme a fait une chose étonnante : il est passé en mode protection pour me sauver la vie. Il s'est tourné vers mon système sympathique pour m'empêcher de me vider complètement de mon sang en enregistrant le message que ce n'était pas un endroit sécuritaire. Si ma respiration était superficielle avant l'accident, elle l'est devenue encore plus après, alors que tout mon être s'adaptait à la peur. Dans les jours qui ont suivi, les infirmières à l'hôpital m'ont aidée à retrouver mon souffle en me demandant d'inspirer autant d'air que je pouvais pour ensuite l'expirer avec force. Mais la pleine capacité de mes poumons n'est jamais vraiment revenue avant que je reporte consciemment mon attention sur elle.

Si j'avais à choisir l'outil le plus utile à la voie de l'accomplissement de l'âme, ce serait la maîtrise de la respiration. La respiration est l'élément le plus essentiel à la survie du corps humain. On peut vivre longtemps sans nourriture et quelques jours sans eau mais après quelques minutes sans oxygène, notre organisme commence à faillir et nos cellules meurent. La respiration est l'impulsion primaire qui anime notre existence humaine. Elle nourrit nos cellules et stimule la circulation du sang dans nos veines, elle favorise notre croissance et nous aide à guérir. Quand elle est employée consciemment, elle contribue à faire grandir l'amour dans notre corps. Si notre corps est l'instrument de notre âme, la respiration est le carburant qui assure son fonctionnement optimal.

La respiration a été au cœur de la plupart des traditions spirituelles et des sagesses anciennes, les guérisseurs et les maîtres spirituels reconnaissant le souffle comme le principe à la base de la vie. Les anciens kahunas de la Huna pratiquaient la respiration « ha », c'est-à-dire la respiration de vie qui ouvrait systématiquement chaque réunion, cérémonie, prière et guérison afin de favoriser la manifestation du résultat désiré. En effet, les anciens kahunas croyaient que lorsque cette respiration est faite consciemment, le souffle est source de *mana*, d'énergie et de force vitale. Il leur arrivait de respirer ainsi durant des heures pour imprégner un projet de *mana* et de la concentration nécessaire. La technique de la respiration « ha » engage de respirer dans un rapport de un pour deux : on inspire par le nez pendant quatre comptes en allant chercher le souffle au plus profond de l'abdomen et on expire par la bouche pendant huit comptes en contractant la gorge, en régulant le souffle pour émettre le son « ha » et en ralentissant l'expiration. On dit que cette respiration rehausse une intention et favorise sa manifestation.

La tradition yogique illustre magnifiquement le rôle de la respiration. Pour le yogi, la respiration est l'outil avec lequel le cerveau balaie le corps tout entier pour détecter les zones de déséquilibre et les blocages d'énergie. Sur l'inspiration, notre conscience se tourne vers l'amplitude et la sensation de vie associée à nos émotions et à notre esprit. Interrompre l'inspiration avant d'avoir complètement rempli nos poumons nous empêche de *ressentir* pleinement, d'entrer vraiment en contact avec nos émotions et de les vivre. Sur l'expiration, notre attention se tourne vers notre capacité innée à lâcher prise et à guérir les systèmes de vibration inférieure dans notre organisme. Ne pas nous autoriser à expirer l'air complètement, consciemment ou non, ne pas permettre à l'expiration d'atteindre complètement son terme, nuit à notre capacité de lâcher prise. Sans cette respiration complète, nous pourrons rester inconscients de notre ombre, des endroits stagnants en nous, jusqu'à ce que notre corps et notre environnement nous envoient des messages de plus en plus insistants, parfois sous forme de douleur ou de maladie. Parfois, il suffit d'une simple respiration profonde consciente pour qu'une douleur disparaisse.

La respiration a son propre système de communication. Quand nous inspirons et expirons consciemment de l'air par nos poumons, nous communiquons les messages suivants à notre corps et à notre esprit :

1. Nous existons ici et maintenant. La respiration est un évènement qui se produit en nous, dans notre corps intérieur, lequel fonctionne au présent. Être consciemment attentif aux sensations et aux sons de la respiration complète détourne notre attention de nos pensées anxiogènes ou limitées, fondées sur le passé et le futur, et nous ramène au moment présent, où sont les possibilités. La respiration renoue ce lien vital avec le seul moment qui est vraiment à nous : le présent.

2. Nous sommes en sécurité. Si notre corps est capable de respirer profondément, cela signifie qu'il exploite son système parasympathique, c'est-à-dire son mode croissance. Pour être en mode croissance, le corps a besoin de se sentir en sécurité, parce qu'il ne peut pas à la fois grandir et bien se protéger. La respiration rétablit la sécurité et la croissance.

3. Nous sommes prêts à changer. Comme la respiration rétablit la sécurité et la croissance dans l'organisme, elle le prépare au changement inévitable que la vie apporte toujours. La respiration nous permet de nous ouvrir à ce qui est possible et nous met en contact avec le mouvement du changement afin que nous puissions plus facilement l'accueillir.

Quand nous tournons notre attention consciente sur notre respiration et que nous l'invitons à devenir plus large et plus profonde, nous créons en nous un milieu propice à la vie où la croissance peut se faire et où notre perception du temps peut changer. Nous revenons au présent parce que nous détournons temporairement notre attention des pensées qui nous rattachent au passé et au futur.

La plupart des gens que je connais aspirent ardemment à avoir plus d'espace et de temps dans leur vie. La respiration est une métaphore pour l'espace et le temps. Par la respiration profonde consciente, nous rétablissons l'équilibre du mouvement dans notre corps et cet équilibre se reflète au quotidien dans notre expérience extérieure du temps et de l'espace. Nous ralentissons le temps et nous en créons plus pour ce que nous voulons vraiment.

Même si nous n'avons généralement pas à penser à respirer parce que cela se fait automatiquement dès notre naissance et se poursuit sans notre intervention, quand nous commençons à prêter attention à notre respiration, nous nous apercevons que nous ne respirons pas aussi complètement que notre organisme l'a prévu. Systématiquement, chaque fois que je donne un atelier, des participants me disent : « Quand vous avez dit au début que nous allions apprendre à respirer pour vrai, je me suis dit que je savais déjà comment faire. Mais je me rends compte à présent que je ne savais vraiment pas comment. » Chaque fois.

Durant l'atelier, je ne lâche pas cette idée de respirer une minute. Pour ma part, je respire profondément en parlant et en m'adressant au groupe. Mon attention est ancrée dans le champ de perception de mon corps et fixée sur l'air qui entre et sort du cœur de mon corps. Je suis une flûte creuse qui est jouée sans interruption, créant ainsi un véhicule sacré et sécuritaire. Pendant que les participants partagent leurs histoires, je les ramène à leur respiration et tandis qu'ils écoutent les confidences des autres, je leur rappelle encore de respirer. Je les encourage à décroiser les bras pour ne pas couper la libre circulation de l'air. Je les invite à aller chercher leur inspiration au fond de leur abdomen, à inspirer par le nez en ouvrant le diaphragme devant et derrière, à droite et à gauche, et en haut et en bas en même temps, puis la cage thoracique en rejetant les épaules vers l'arrière et le bas, en prenant le plus d'air possible. Sur l'expiration, je les invite à laisser pendre leur mâchoire, à détendre leur langue, à laisser l'air sortir de leur bouche en s'abandonnant au moment présent. Je les ramène à maintes reprises à cette respiration. Vers le deuxième jour, les gens viennent me voir pour me dire : « Je n'avais pas idée ! »

Nous ne sommes peut-être pas conscients des bienfaits de la respiration mais la réalité est que nous ne respirons pas de façon optimale dans le courant de nos journées. Nous avons pour la plupart une respiration inconsciente, relativement superficielle, placée haut dans le corps, et nous arrêtons souvent de respirer sans nous en rendre compte.

Cela se produit assez mécaniquement lorsqu'une émotion anxiogène monte en nous. Si elle est prolongée, elle a un impact sur notre bien-être général et notre joie de vivre. Notre tâche consiste alors à réapprendre à notre corps à respirer profondément et plus lentement, surtout dans ces moments de stress quand notre réaction instinctive est justement d'arrêter de respirer. Nous aurons souvent l'impression que cela va à l'encontre de l'intuition et même que c'est difficile, mais nous pouvons faire confiance à la capacité de notre organisme de s'occuper de notre santé et de notre bien-être et de les favoriser par la respiration.

Les professeurs de yoga en parlent, les instructrices de Lamaze la préconisent et votre psychologue pourrait même vous la recommander. Mais ce dont je parle est plus radical que respirer profondément une fois de temps en temps pour nous aider dans des situations particulières. Je ne parle pas non plus simplement de la respiration comme moyen pour favoriser notre guérison. Ce que je suggère est que respirer consciemment et profondément tout en prêtant attention au corps intérieur est un moyen de vivre chaque seconde ici-maintenant en tout temps.

Nous nous habituons au volume de notre respiration, lequel a été façonné par notre passé et diminue quand nos traumatismes sont réactivés. Durant plusieurs années après mon accident, la pression autour de mon plexus solaire était telle que j'avais toujours l'impression d'être au bord de la crise de panique. Un jour, après avoir appris de Louise le pouvoir de la respiration, j'ai décidé que je voulais me libérer de cette sensation. Comme je savais qu'elle avait un rapport avec mon foie blessé, je me suis allongée sur le canapé et j'ai décidé de montrer consciemment de l'amour à cet organe. Lorsque j'ai tourné mon attention sur lui, ce que je n'avais jamais fait ou pensé faire avant, je l'ai tout de suite senti qui communiquait avec moi. Le simple fait de tourner mon regard intérieur dans sa direction était un acte d'amour et j'ai senti que mon corps l'avait senti aussi. Je pourrais être la présence témoignant de sa blessure.

Au début, le malaise s'est intensifié. Quand j'ai entrepris de respirer plus profondément dans la douleur, j'ai senti que la tension augmentait aussi dans mon abdomen. J'avais l'impression d'avoir la poitrine entièrement bardée de fers, des cercles de fer qui me protégeaient de la souffrance. Malgré que cela m'apparaissait tout à fait contraire à l'intuition et même effrayant, j'ai décidé de continuer de respirer profondément dans mon foie. À chaque respiration, j'entendais des claquements secs et je sentais des petites explosions de dégagement. Sur la dernière inspiration très, très profonde, j'ai senti l'espace dans mon foie et autour prendre un maximum d'expansion avant de pousser ce que je ne peux décrire que comme une longue expiration – un soupir de soulagement qui attendait depuis longtemps d'être libéré. Je me suis sentie plus ancrée dans mon corps et plus consciente des sensations dans sa partie inférieure, comme si j'étais entrée dans une autre dimension en moi. J'ai été plutôt émotive tout le reste de la journée ; je venais juste de libérer une énergie bloquée qui était restée emprisonnée des années. J'étais incroyablement reconnaissante de pouvoir me guérir de cette manière, de faire mon propre travail de guérison.

Il y a quelques années, j'ai eu une cliente qui travaillait à résoudre un traumatisme d'enfance dans son système familial, étant donné qu'il semblait affecter ses relations présentes. Nous avions parlé de ses souvenirs et il était maintenant temps de voir où vivait l'énergie dans son corps. Lorsqu'elle a tourné son attention sur son corps intérieur, elle a pu sentir l'énergie bouger mais seulement jusqu'en bas de son abdomen. L'espace de son deuxième chakra était inaccessible. Quand elle essayait d'y toucher, il lui apparaissait comme un vide, un trou noir. Elle n'arrivait pas à ressentir quoi que ce soit à cet endroit. Je lui ai demandé si elle pouvait me dire à quel endroit elle sentait la pression dans son corps. Ses yeux étaient fermés et elle était allongée sur le dos. Elle a dit que le bas de son dos lui semblait tendu et lui faisait mal. Je l'ai invitée à respirer profondément dans la tension pour témoigner de la compassion et de la tendresse à la partie de son corps qui s'accrochait à quelque chose. Puis je lui ai demandé de définir la tension, de lui donner une couleur ou une forme. Elle la voyait noire en imagination. Tout en lui rappelant de continuer à respirer profondément dans son corps, je lui ai demandé d'inviter gentiment cette tension noire à passer de son dos à son ventre. Au début, il y a eu de la résistance. Ma cliente a vu en imagination un mur de briques infranchissable avec un dragon devant. Ces images lui sont venues spontanément : elle me les a décrites en gardant les yeux fermés. Bien qu'elle ait cru au début que le dragon était sur la défensive, elle a vu en l'observant mieux qu'il était son allié. Elle s'est sentie poussée à sauter sur son dos et quand elle a inspiré profondément la fois suivante, ils ont foncé ensemble au travers du mur de briques. Ce qui s'est produit ensuite relève de la pure magie. L'être tout entier de ma cliente a été inondé de lumière et d'énergie. Des larmes se sont mises à couler lorsque son deuxième chakra s'est éveillé et s'est fait sentir par une sensation kinesthésique. Son corps a tremblé comme une feuille quelques minutes. J'ai continué de lui rappeler de respirer profondément. Elle avait chaud et elle avait froid. Je pouvais voir que l'expérience était intense mais qu'elle était folle de joie parce qu'elle se sentait vraiment vivante intérieurement pour la première fois depuis très, très longtemps.

Sa vie n'a plus été la même depuis. Le fait « d'inviter et d'autoriser » plus de *ressenti* et plus d'*être* avec *la respiration* a radicalement changé ses relations conflictuelles mais surtout, des aspects de son âme auxquels elle n'avait pas eu accès avant lui ont été révélés.

James Redfield a dit un jour que « l'énergie va en direction de ce qui capte l'attention ». Quand une infirmière encourage ses patients à respirer dans la douleur, elle leur demande essentiellement d'imaginer que la douleur inspire et expire profondément. La femme qui accouche se sert de cette technique pour soulager l'intensité de ses contractions. Le fait de ralentir ou d'accélérer la respiration contribue à soulager la douleur. Cela communique au corps que vous êtes aidé et en sécurité. Candace B. Pert associe cette réaction à la présence de nombreux récepteurs opioïdes dans la région du cerveau responsable de la gestion de la douleur. Elle dit :

La respiration consciente [...] est extrêmement puissante. Une foule de données montre que des changements apportés à la cadence et à l'ampleur de la respiration induisent des changements dans le nombre et le type de peptides libérés par le tronc cérébral. En amenant ce processus à la conscience et en faisant en sorte de le modifier, vous provoquez une rapide désintégration des peptides dans l'ensemble du liquide céphalorachidien, dans un effort pour rétablir l'homéostasie, mécanisme de rétroaction de l'organisme pour rétablir l'équilibre. Par ailleurs, comme beaucoup de ces peptides sont des endorphines, opiacés naturels du corps, et d'autres types de substances analgésiques, vous obtenez bientôt un soulagement de votre douleur[4].

Elle explique par ailleurs que le système respiratoire sécrète ses propres endorphines quand nous tournons notre attention consciente sur notre respiration et que nous la dirigeons consciemment. La docteure Pert a vécu au moment où la science commençait à démontrer ce que la sagesse ancienne sait depuis des milliers d'années. Elle a été une des premières à rendre cette information accessible au grand public et à redonner aux humains le pouvoir de se guérir.

Quand nous prenons conscience de notre pleine capacité respiratoire et que nous la poussons au-delà de son volume habituel, nous sommes des alchimistes. Nous pouvons nous servir de la respiration comme instrument de métamorphose pour manipuler les éléments, créer quelque chose de neuf avec du vieux et littéralement faire des miracles. Le résultat ? Rien de moins qu'une transformation complète et totale.

CHAPITRE 30

L'arbre penche en direction de la lumière

———— ∾⋈∾ ————

D e nombreux ouvrages modernes de croissance personnelle parlent du pouvoir de l'intention dans notre quête pour manifester la vie que nous voulons. Mais je veux parler de l'outil essentiel que nous utilisons dans le processus pour semer la graine d'une intention. Il s'agit de notre *attention* consciente. Ce qui mobilise notre attention grandit, peu importe ce que c'est ; donc, la cible sur laquelle nous choisissons de focaliser cette attention a un gros impact.

Voyez l'âme comme le soleil et votre être comme un arbre. L'arbre penche naturellement en direction de la lumière du soleil pour sa subsistance et sa vitalité. Nous pouvons faire la même chose. En dirigeant notre attention vers notre âme, en inclinant notre intellect en direction de notre champ énergétique intérieur, nous rendons notre force de vie plus accessible. En connaissant mieux cette force de vie, nous pouvons commencer à aligner nos intentions sur ses qualités intrinsèques en visant plus d'expansion, de flux, d'harmonie, de cohérence et d'abondance.

Notre attention, en même temps que notre capacité à l'orienter à dessein, est le deuxième outil le plus puissant que nous possédons après la respiration pour nous rappeler notre nature essentielle d'êtres spirituels et l'exprimer. L'attention consciente est comme une lampe-torche dans un musée obscur. Seul ce sur quoi vous posez votre lumière sera visible. En fin de compte, le faisceau de votre lampe-torche peut s'élargir pour inclure le musée tout entier. C'est donc un pouvoir impressionnant que nous possédons.

La découverte de l'attention consciente est la clé du grand jardin secret de notre esprit, que nous obtenons de choisir dans notre exploration. Nous commençons à créer de l'espace et de la liberté. Nous pouvons prendre du recul et décider sur quoi nous voulons et ne voulons pas fixer notre attention. Nous obtenons de choisir au lieu que ce soit notre esprit inconscient qui mène la barque.

J'aimerais que vous preniez un moment dès maintenant pour prêter attention. Fermez les yeux et prenez conscience de votre main gauche. Quand je vous demande de penser à votre main gauche, de quoi vous servez-vous pour faire apparaître l'image ? Commencez à remarquer et à sentir le sang qui afflue dans votre main. Prenez votre temps. Soyez patient. Essayez de sentir votre cœur battre dans votre main.

Ce que vous avez utilisé pour faire cela, c'est votre attention. C'est la même chose quand nous prenons un livre pour le lire : nous utilisons notre attention pour entrer dans le processus de lecture. Quand nous décidons d'entreprendre un projet, nous utilisons notre attention pour faire de ce projet le centre d'intérêt de notre vie. Quand nous exprimons de l'amour à nos enfants ou que nous montrons notre affection à un être cher, nous utilisons notre capacité à orienter notre mental dans une direction en particulier. Cette orientation délibérée est l'attention consciente.

Nous utilisons constamment notre attention. Parfois consciemment mais le plus souvent inconsciemment. D'un côté, nous prêtons inconsciemment attention à des choses que nous n'avons pas besoin de remettre en question. Par exemple, si bébé pleure, nous la prenons et nous la consolons. Si le feu de circulation est jaune, nous ralentissons. Nous nous brossons les dents tout en pensant à la journée qui nous attend sans pourtant oublier une seule dent. Nous prêtons inconsciemment attention à un beau coucher de soleil estival qui capte notre regard ou à une chanson magnifique que nous fredonnons mentalement.

Là n'est pas le problème. Le problème est que nous fixons notre attention de façon inconsciente et mécanique sur des éléments qui ne nous sont plus utiles. Nous ne nous arrêtons pas assez souvent pour nous demander si ce qui mobilise notre attention est vraiment ce sur quoi nous voulons réellement nous concentrer – si cette personne, cette situation, ce souvenir, cette émotion ou cette idée enrichit notre vie ou pas.

Nous avons tendance à maintenir notre attention inconsciente sur des choses comme du bavardage mental malveillant, des relations malsaines et des souvenirs traumatisants. Autrement, nous maintenons peut-être notre attention sur le ton critique que notre collègue a employé pour s'adresser à nous la veille, sur le fait que nous pensons que nous avons vraiment l'air obèse ou sur nos années qui avancent inexorablement. Notre attention est si souvent intriquée dans notre identité conditionnée que nous ne savons même pas que nous lui fournissons de l'énergie. Cela maintient notre monde dans la petitesse parce que notre réalité est alors définie par ces pensées et ces distractions. Cela nous fatigue plus que cela devrait puisque lorsque nous fixons notre attention sur un schéma mortifère, nous nous appauvrissons par le fait même.

La bonne nouvelle est que nous pouvons tout à fait changer cela, peu importe la situation et l'objet de notre attention. Nous avons toujours la capacité de modifier la cible de notre attention consciente. Toujours. Et lorsque nous brisons nos schémas inconscients, nous nous rendons vite compte qu'il y a tellement de choses parmi celles qui mobilisaient notre attention, qui ne nous étaient plus utiles et ne contribuaient pas à notre intention consciente de vivre intérieurement plus de paix et de joie dans notre vie. Quand nous savons cela, nous ne voulons plus revenir à la façon dont c'était avant.

Si vous vous retrouvez à partir en vrille incontrôlable en imagination, à suivre un fil de *pensée* qui, vous le savez, ne fera que vous apporter plus de souffrance et de frustration, ARRÊTEZ-VOUS. Sachez que rien de tout cela ne vous aide, rien. Détachez votre attention de cette pensée, fixez-la sur cet espace détaché de l'observateur puis concentrez-vous sur votre respiration. Ne laissez pas vos pensées vous distraire et vous empêcher d'observer les sensations accompagnant votre souffle qui entre et qui sort. Vous pouvez aussi fixer votre attention sur votre main plutôt que sur votre respiration. Respirez profondément, fixez votre attention sur votre main et sur les sensations qui la parcourent. Pensez ensuite à une activité qui rend joyeux et faites-la. *Prenez vraiment le temps de faire ce qui vous rend joyeux.* L'autre solution, ruminer des pensées qui vous vident de votre énergie, ne vous aidera en aucune manière, peu importe avec quelle vigueur votre ego prétend le contraire. Les sentiments de joie, de paix, d'équanimité, d'amour et de satisfaction émotionnelle vous aideront ; il faut juste que vous vous fiiez à l'idée et que vous vous fassiez confiance.

Nous gagnons en pouvoir personnel en apprenant à connaître notre attention, en étudiant comment elle fonctionne d'ordinaire et comment nous pouvons la gouverner consciemment. Cela nous aide à participer de plus en plus activement à notre vie. Cela nous place aux commandes.

Nous pouvons nous servir de notre attention consciente quand nous nous sentons dépassés, anxieux ou sans ressource, ou lorsque nous avons du temps pour nous détendre et nous reposer dans notre être. La pratique de l'attention consciente dans les moments calmes peut nous donner l'expérience nécessaire pour les moments où nous avons plus de mal à nous détacher et à nous poser en observateur.

Choisir de fixer notre attention en nous nous aide à nous concentrer sur qui nous sommes en réalité, et non sur ce que nous avons été amenés à croire que nous sommes ou devrions être. Avec notre attention, nous pouvons choisir de priver d'énergie le moi conditionné et le bavardage mental – ce qui nous maintient habituellement dans le mode *penser* et *agir* – et ainsi permettre au silence, à la paix et à l'espace d'*être* « ici-maintenant » d'occuper notre être.

C'est dans cet espace silencieux et paisible d'*être* que notre âme communique avec nous. C'est notre boussole d'âme et un espace à partir duquel nous pouvons vivre. C'est là que nous pouvons faire l'expérience de la dimension plus vaste de notre nature réelle. C'est le silence sacré, le portail qui s'ouvre sur des niveaux plus profonds de la conscience. Et la beauté de la chose est qu'elle a toujours été et sera toujours là. C'est le soleil derrière les nuages, brillant avec éclat, plein de sagesse, de vitalité et d'amour inconditionnel, même si nous ne pouvons pas le voir. Notre âme sera toujours là, attendant patiemment notre regard, notre *attention*, peu importe depuis combien de temps nous regardons ailleurs. Elle voudra toujours nous guider.

CHAPITRE 31

Le cœur, nouveau cerveau

A vec le recul, je considère le jour vécu dans la salle de cours du centre Chopra comme le jour de la Grande Rencontre. Après des années passées à laisser tomber la garde et à arrondir mes angles, c'est le jour où j'ai été prête à rencontrer mon cœur et vraiment capable d'accepter un tel amour pour me guider. Il faisait écho à l'amour que j'avais senti après la mort de ma grand-mère, à l'amour que Paul partageait avec moi, à l'amour que j'avais ressenti dans la vie parallèle dont j'avais eu la vision le soir de l'accident de voiture, à l'amour que je voyais dans les yeux d'Olivier et à l'amour de la vie qu'Hanalei montrait avec exubérance à chaque seconde de la journée.

Il s'est avéré que j'étais cet amour. Il m'avait été reflété pour que je puisse me rappeler qui j'étais vraiment. J'étais à présent celle qui m'offrait délibérément cet amour. Cet amour inconditionnel et divin n'était pas seulement une force extérieure que j'acceptais dans ma vie comme catalyseur de guérison et de croissance ; c'était aussi une grande force intérieure dont je n'étais pas séparée. Cette force intérieure désirait plus que tout s'exprimer dans le monde.

Mon nouveau rapport à mon cœur était en même temps simple et pourtant complexe. Je comprenais maintenant que j'avais atteint un puits infini de possibilités. Mon cœur abritait un courage et une intelligence formidables et j'étais absolument incapable d'en comprendre la vraie profondeur. Je n'avais pas besoin de comprendre complètement ce qui était à l'œuvre sous la surface, toutefois. Je pouvais faire confiance et m'abandonner. Le mécanisme inné de mon cœur opérait à une vitesse et avec une efficacité plus grandes que tout autre processus ou stratégie que j'avais employé avant. Tout ce que j'avais à *faire* était de faire confiance et de m'ôter du chemin.

Le cœur m'avait captivée et la recherche que j'ai entreprise par la suite m'a fascinée. J'ai découvert le HeartMath Institute, une organisation de Californie dont la mission consiste à faciliter l'harmonisation équilibrée du corps-esprit et de la sagesse du cœur. L'institut soutient que le cœur est l'organe-maître du corps et que sa capacité à traiter la connaissance est supérieure à celle de tous les autres organes, y compris le cerveau. Rollin McCraty, Ph. D., vice-président et directeur de la recherche à l'institut, explique que « le cœur génère le champ électromagnétique le plus étendu dans l'organisme [...] Ce champ a une amplitude à peu près soixante fois plus grande que les ondes cérébrales. La composante magnétique du champ du cœur, qui est à peu près cent fois plus fortes que celle produite par le cerveau [...], peut être mesurée à plusieurs pieds de distance du corps. » Selon moi, cela explique pourquoi on peut parfois se sentir dépassé en se reliant à l'autre par le cœur et pourquoi nous craignons souvent de nous fier à notre cœur. C'est que la force de vie est terriblement puissante.

J'ai aussi découvert que le cœur est doté de 40 000 neurites sensoriels, ce qui veut dire qu'il communique avec le cerveau et le reste du corps et influence notre santé émotionnelle, physiologique et spirituelle, à peu près autant que notre cerveau. Il peut néanmoins percevoir, ressentir et savoir beaucoup plus vite que le cerveau.

Les émotions ont un effet important sur la santé du cœur. Comme nous l'avons vu dans les chapitres précédents, les émotions et les organes sont reliés entre eux par la communication cellulaire. On dit que les émotions de peur et de protection nuisent à la santé optimale du cœur en perturbant le rythme cohérent inné dont il a besoin pour fonctionner le mieux possible comme organe assurant la vie. En revanche, les émotions d'amour, de paix, d'équanimité harmonisent le rythme du cœur et rétablissent l'équilibre du système nerveux, apportant ainsi le bien-être au corps. Quand le cœur et le corps vont bien, l'esprit suit.

Le plus intrigant pour moi reste la recherche entreprise par HeartMath pour révéler l'intelligence du cœur quand il est la cible d'une attention consciente, laquelle fait naître ou vivre des émotions transcendantes dans l'espace qu'il occupe. McCraty dit ceci :

> C'est le cœur intuitif que les gens ont associé à leur «voix intérieure» tout au long de l'Histoire. De plus en plus d'individus prennent l'habitude chaque année «d'écouter» leur cœur comme guide intérieur, ou ce que certains appellent leur «pouvoir supérieur» – une source de sagesse et d'intelligence. Dans la recherche menée dans notre laboratoire, nous avons découvert que la cohérence est de première importance pour nous relier à notre guidance intuitive intérieure. Nous avons la preuve irréfutable que le champ d'énergie du cœur (le cœur énergétique) est jumelé à un champ d'information qui n'est pas assujetti aux limites classiques du temps et de l'espace. Cette preuve vient d'une étude expérimentale rigoureuse ayant investigué la proposition que le corps reçoit et traite l'information concernant un évènement futur avant qu'il n'ait lieu dans les faits. Les résultats de l'étude fournissent des données étonnantes qui montrent que le cœur et le cerveau reçoivent tous les deux de l'information avant le stimulus de l'évènement futur et réagissent à cette information. Plus intrigantes encore sont les indications selon lesquelles le cœur reçoit cette information intuitive avant le cerveau[5].

Cela corrobore ce que j'ai vécu autant dans mes guérisons que dans les expériences transcendantes de ma vie. Cela confirme que mon cœur et les cellules de mon corps *possèdent* l'information avant mon intellect. Par ailleurs, cette information, que j'absorbe sous forme d'expérience sensorielle, est un message de mon propre système de guidance intuitive. Plus j'exprime mes émotions, plus je permets au mouvement de l'énergie de circuler dans les cellules de mon corps par ma respiration. Plus je guéris mon cœur, plus je peux accéder à mon âme et vivre en partant d'elle.

Aujourd'hui, je considère que cette façon de penser est un processus corporel global de l'âme plus qu'un processus de l'intellect. Les pensées sont devenues un sous-produit d'un échange âme-cœur-corps-esprit, dans cet ordre. Dans *Hua Hu Ching : les enseignements inconnus de Lao Tseu*, Brian Walker a traduit le 35e enseignement de cette manière :

> Intellectuellement le savoir vient à l'existence dans et par le cerveau.
>
> Puisque le cerveau fait partie d'un corps devant un jour expirer, la collection des évènements, aussi grande et impressionnante soit-elle, devra se terminer un jour.
>
> La pénétration reste cependant une fonction de l'esprit.
>
> Puisque votre esprit vous suit au cours de tous les cycles de la vie, de la mort et de la renaissance se succédant, vous avez l'opportunité de cultiver la vision intérieure d'une manière ininterrompue.
>
> Se raffinant avec le temps la faculté méditative devient pure, constante et exempte de perturbations.
>
> Tel est le début de l'immortalité.

Les visions intérieures sont comme des révélations qui montent en nous ; quand l'intellect en prend conscience, sa perception s'élargit et notre perception de la réalité change. Les visions intérieures ont une qualité durable et solide. Elles nous apportent un sentiment d'enracinement dans ce que nous savons, plus que si nous étions pour comprendre uniquement avec notre intellect. C'est un savoir de l'être total. Dans la progression *Sois, Ressens, Pense, Agis*, les visions intérieures viennent de l'âme et guident nos actions, nos projets et ce que nous disons et faisons.

Plus je vis à partir de mon cœur, plus je remarque les visions intérieures qui me viennent spontanément à l'esprit et sans effort. Elles viennent par les rêves, l'intuition, l'instinct, les images, les sons, les couleurs ou simplement une profonde certitude dans mon cœur.

Vivre en gardant mon attention dans mon cœur est devenu une façon d'*être* au jour le jour, seconde par seconde, respiration par respiration. J'ai dans mon cœur une force qui a des désirs et veut *faire* certaines choses. Plus je me fie à ce que mon cœur et mon corps me communiquent, moins je vis de dissonance entre ce que je *ressens* intérieurement et ce que je dis et *fais* extérieurement.

Mes mondes intérieur et extérieur ont fusionné en un seul. C'est cela, la vraie liberté !

CHAPITRE 32

Premier choix, dernière liberté

———— ⚬✖⚬ ————

J e vous dirai pourquoi je considère aujourd'hui ma mère comme mon plus grand maître.

Quand je rendais visite à ma mère au début de la vingtaine, il se passait très peu de temps entre le moment où elle me disait quelque chose, celui où je me sentais jugée et celui où nous nous disputions. Je passais de calme à furieuse en un clin d'œil. Elle disait quelque chose de banal comme «on dirait que tu t'es teint les cheveux ; j'aimais bien ta couleur naturelle» ou «tu as l'air fatiguée ; tu as pris du poids». Je me disais : *Bien entendu, la voilà qui recommence encore à me critiquer. Je ne suis jamais assez bien pour elle.* Et le ressentiment restait en moi et donnait le ton pour la journée ou parfois pour le séjour tout entier.

D'une certaine manière, je m'organisais pour qu'il en soit ainsi. Je m'attendais à ce qu'elle dise quelque chose que je n'aime pas. Inconsciemment, j'attendais en réalité qu'elle le fasse pour pouvoir justifier à mes yeux à quel point je me sentais mal aimée. C'était mon petit discours intérieur. Je faisais une réalité de ce qui se passait dans ma tête. C'était sans importance que ses intentions soient bonnes ou pas. Une fois que j'arrivais, avant même que nous échangions un mot, la table était mise et elle n'avait aucune chance. Au fil des ans, nous avions toutes les deux pris conscience que nos interactions n'étaient ni saines ni plaisantes, mais nous ne savions apparemment pas comment changer les choses ni l'une ni l'autre. Nous nous demandions même si nous serions capables de continuer à nous côtoyer.

Après la conversation imaginaire que j'avais eue avec elle dans le petit cottage, les choses ont vraiment beaucoup changé. Ce jour-là, je m'étais donné la permission de m'aimer, de m'occuper de l'enfant en moi qui retenait la blessure non résolue et de la soigner. En m'offrant en premier ce geste d'amour et de compassion, j'avais fait grandir ma capacité d'offrir des gestes d'amour et de compassion aux autres, à ma mère dans ce cas. J'avais beaucoup plus de facilité à voir comment nous pourrions nous comprendre et entreprendre de nouer un rapport plus étroit.

La guérison a créé plus d'espace dans mon être, elle a adouci mon cœur et m'a permis de voir que j'avais la liberté de choisir, en définitive. Dans le feu d'une dispute vient toujours le moment de choisir. Avant que les pensées de blâme puissent me passer par la tête et que des paroles de colère sortent de ma bouche, j'avais en moi un sentiment de blessure, une tristesse. Avant, je n'étais consciente d'aucun sentiment sinon l'indignation et c'est elle qui me poussait à réagir. Après ma guérison, j'ai complètement cessé de projeter cette blessure sur ma mère. J'ai pu observer et m'approprier cette blessure qui était à moi. J'ai pu envisager l'idée que ma mère ne disait rien pour me blesser. C'était sa façon de me montrer son amour de la seule manière qu'elle connaissait.

Quand j'ai vu ma mère la fois suivante, il s'est passé quelque chose de merveilleux. Dans un moment de vexation, j'ai ressenti une compassion énorme relier nos cœurs. J'avais de la compassion pour la petite fille en moi qui se sentait invisible et avait besoin de tendresse. J'avais de la compassion pour ma mère qui traversait l'expérience, encore et encore, chaque fois que je me mettais en colère, de se sentir mauvaise mère. De la compassion pour la compréhension et la tendresse qu'elle n'avait jamais reçue de ses propres parents. Tout était si clair. Tous ces sentiments pouvaient coexister en cet instant. L'un n'enlevait rien à la véracité de l'autre.

Ce point de vue s'accompagnait d'un *choix* très important. Dans les moments intenses, je pourrais maintenant choisir de poser ce geste de compassion, en premier à mon égard, en respirant profondément et en tournant mon attention sur l'impulsion en moi, puis à l'égard de la personne devant moi, en écoutant avec des oreilles plus compatissantes. C'était à moi de faire le choix, à moi de prendre la liberté. Pas le choix de la personne devant moi, pas le choix de ma mère : le mien. Cette prise de conscience m'a donné un tel pouvoir ! Je ne pourrais plus être la victime des comportements des autres. J'étais enfin libre.

Quand nous devenons conscients de nos choix inconscients, nous pouvons décider d'en faire d'autres. Viktor Frankl (1905-1997), brillant psychiatre qui survécut à l'Holocauste, nous rappelle que nous avons ce choix. Dans son livre *Découvrir un sens à sa vie avec la logothérapie* (1946), qui s'était vendu à plus de dix millions d'exemplaires au moment de sa mort en 1997, Frankl explique que pour les prisonniers, la capacité de choisir leurs croyances et ce qui mobilisait leur attention – surtout s'ils étaient capables d'imaginer un avenir heureux face à leur situation sombre et apparemment désespérée – avait beaucoup d'influence sur leur longévité. Il demande au lecteur de réfléchir au pouvoir que nous avons en réalité face à la pire des situations :

> Le comportement des prisonniers qui se sont trouvés enfermés dans un monde aussi exceptionnel que celui des camps de concentration prouve-t-il, hors de tout doute, que l'homme ne peut échapper à l'influence de son

environnement? Dans de telles circonstances, l'homme n'avait-il aucune possibilité de choisir?

On peut répondre à ces questions en s'appuyant autant sur des faits vécus que sur des théories. Les conclusions tirées des expériences vécues dans les camps de concentration prouvent en effet que l'homme peut choisir. On pourrait citer de nombreux comportements, souvent de nature héroïque, qui démontrent que le prisonnier pouvait surmonter son indifférence et contenir sa colère. Même si on le brutalise physiquement et moralement, l'homme peut préserver une partie de sa liberté spirituelle et de son indépendance d'esprit.

Ceux qui ont vécu dans les camps se souviennent de ces prisonniers qui allaient, de baraque en baraque, consoler leurs semblables, leur offrant les derniers morceaux de pain qui leur restaient. Même s'il s'agit de cas rares, ceux-ci nous apportent la preuve qu'on peut tout enlever à un homme excepté une chose, la dernière des libertés humaines: celle de décider de sa conduite, quelles que soient les circonstances dans lesquelles il se trouve[6].

Quand je me suis vraiment mise à réfléchir à ces hommes et à ces femmes dans les camps, au fait que le choix de leur état d'esprit représentait leur dernière liberté et qu'ils ont vécu une expérience très différente lorsqu'ils ont choisi l'amour et la compassion, quelque chose m'a frappée comme jamais. C'est ce jour-là que j'ai cessé de blâmer les autres et les circonstances pour mon malheur. C'est ce jour-là que j'ai compris que j'étais la seule responsable de mon bonheur. J'avais orienté mon énergie dans le mauvais sens en la prenant à l'extérieur pour la ramener en moi. J'avais gaspillé mon énergie à condamner les autres. Peu importe ce qui m'était arrivé autrefois, j'étais la seule qui devait faire le travail pour guérir. Par ailleurs, peu importe ce qui m'était arrivé dans mon enfance, j'avais le pouvoir de me libérer de tout cela en choisissant comment je voulais être et me sentir.

On fait toujours le meilleur choix en choisissant l'amour et la compassion. Personne n'est capable de me le rappeler aussi bien que ma mère. Quand je suis avec elle, je suis invitée plus que jamais à aller plus loin dans cet amour et cette compassion. Elle est mon invitation divine et je choisis de l'accepter.

L'expérience et la sagesse de Frankl nous rappellent que nous sommes libres à chaque seconde de choisir notre destin. Cela commence par un simple choix de l'attitude que nous adoptons face aux épreuves, grandes ou petites. Si les hommes et les femmes enfermés dans les camps de concentration et privés de liberté physique ont été capables de trouver de l'amour et du sens dans leur cœur, chacun de nous peut *toujours* choisir son attitude face à l'adversité.

Chaque seconde de notre existence, à chaque « maintenant » qui passe, nous sommes toujours libres de choisir ce qui retient notre attention, que nous soyons dans un espace où nous nous sentons libres ou pas. C'est un grand cadeau, un cadeau que nous avons toujours eu et que nous aurons toujours. Même s'abstenir de choisir est un choix. Quoi qu'il en soit, nous oublions facilement cette liberté. Après des années et des années à nous accrocher à l'identité limitée de quelqu'un qui est à la merci de facteurs échappant à son contrôle, nous avons du mal à voir que nous avons de la place pour choisir autrement.

Le regretté docteur David Simon, cofondateur du centre Chopra, a écrit dans son livre *Free to Love, Free to Heal* : « L'essence de la responsabilité consiste à admettre que peu importe ce qui s'est passé jusqu'à présent, nous sommes capables de faire de nouveaux choix susceptibles d'améliorer notre situation au fil de notre progression. Nous avons toujours la capacité de réagir par des moyens créatifs qui favorisent l'émergence de quelque chose de neuf[7].» Quand nous comprenons que nous avons cette liberté de choix, nous pouvons dégager de l'espace dans le flot continu de nos pensées là où il n'y en avait pas avant. Nous faisons briller la lumière de la conscience là où il n'y avait pas de lumière.

Dans le doute, je ramène toujours mon attention sur mon cœur. Si je suis perdue, désemparée, accablée, ou si j'ai oublié comment trouver mon ancrage, je tourne mon attention sur mon cœur, je respire profondément et j'invite en moi un sentiment d'amour. Mais il faut que je le choisisse. Ce n'est pas toujours facile parce que souvent, le désir d'avoir raison est plus fort que le désir d'être en paix. Mais j'ai vécu assez souvent l'expérience à présent pour savoir que la justification ne mène jamais à rien d'agréable. L'amour, oui. Toujours.

Nous obtenons de décider des expériences que nous voulons vivre et de celles que nous voulons changer. Nous choisissons où nous tirons un trait, quand nous disons oui et quand nous disons non. Nous obtenons de choisir les gens que nous fréquentons et l'attitude que nous avons avec ceux que nous n'avons pas choisis. Quand nous gravitons inconsciemment vers certains types de personnes, nous pouvons nous demander si être en relation avec elles nous sert encore et ajoute à la somme d'amour dans notre vie, ou si nous avons tendance à rester petits et tendus quand nous sommes en leur compagnie.

Nous obtenons de choisir le genre de conversations que nous avons et le genre d'informations que nous écoutons. Est-ce qu'écouter les nouvelles ou vérifier vos courriels dès votre réveil le matin vous rend anxieux ou bouleversé, ou donne le ton à votre journée? Est-ce que parler à certaines personnes vous laisse toujours avec un sentiment de vide et de déception? En toutes situations, nous pouvons nous demander: est-ce que je sens que mon être s'ouvre ou se contracte en ce moment? Est-ce que l'amour, l'abondance et la gratitude sont présents ou si ce sont la peur, le manque et le ressentiment ?

Choisir de diriger notre attention ailleurs que là où nous la fixons inconsciemment d'ordinaire est une décision puissante. Cela dit au corps et à l'esprit que nous voulons quelque chose de nouveau et que nous ne sommes pas intéressés à être guidés par de l'information recyclée. C'est un mouvement conscient vers *être*.

C'est la même chose pour ce qui est d'incliner notre attention en direction de ce que nous voulons consciemment. Si nous voulons consciemment plus d'espace et de paix intérieure, nous ferons grandir cet état en choisissant de tourner notre attention plusieurs fois par jour sur une profonde respiration de tout le corps et l'observation de son champ énergétique intérieur. Si nous voulons consciemment nous exprimer davantage et vivre plus de joie et d'amour, nous encouragerons notre corps à ressentir plus souvent ces sentiments et nous attirerons dans l'énergie des expériences qui nous donneront l'occasion de les ressentir en choisissant de fixer notre attention sur notre centre cardiaque, de ressentir et d'offrir cet amour et cette joie à une autre personne. Cette façon de faire indique à notre corps que cet état est important et que ces sentiments sont prioritaires.

Nous pouvons également choisir d'avoir un dialogue intérieur plus compatissant, un discours qui est bon, tolérant et aimant. Nous pouvons choisir de nous parler comme nous parlons à quelqu'un que nous aimons. Quand j'ai pris conscience de mon dialogue intérieur pour la première fois, j'ai été étonnée de constater que personne dans ma vie ne me parlait aussi sévèrement que moi. C'était toute une révélation. Remarquez le ton que vous employez pour vous parler mentalement. Êtes-vous porté à juger ou à être compréhensif ? Êtes-vous dur avec vous-même ou bon et doux ? Notre dialogue intérieur a beaucoup d'influence sur notre réalité ; par conséquent, nous faciliterons les changements intérieurs et extérieurs que nous voulons concrétiser en changeant sa qualité.

Nous avons tous différentes croyances par rapport à notre origine et à l'endroit où nous étions avant de naître, et notre croyance quant à notre origine peut influencer notre façon de vivre.

À ce stade de ma vie, je sens très fortement que je vis à notre époque pour une raison bien précise. Mes expériences passées m'ont montré que j'ai fait des choix comme âme avant cette vie et que ces choix m'ont propulsée dans l'existence.

Je trouve utile d'avoir une sorte de « manifeste » pour me rappeler la raison de ma présence ici :

Je crois qu'en tant qu'âme en expansion, j'ai décidé de m'incarner dans cette vie. Aucune entité, aucun dieu extraordinaire ne l'a décidé pour moi. Je suis le dieu qui a choisi, avec amour divin et dans un dessein divin. J'ai choisi ma mère, mon père, mon frère, mes tantes, mes oncles et mes cousins, mes partenaires, mon mari, ma belle-famille, mes enfants, mes amis et toutes les personnes que j'ai rencontrées sur mon chemin depuis mon arrivée sur cette Terre. Je crois que j'ai choisi de naître exactement dix minutes après minuit pour que les planètes et les étoiles me soutiennent de manière précise dans l'énergie durant mon voyage humain, en créant des schémas pour que je puisse m'en servir. Je crois que j'ai choisi un père intellectuel et une mère à l'esprit libre. Je crois que j'ai choisi de ne pas connaître la tendresse et l'amour inconditionnel dans mon enfance. J'ai choisi d'oublier mon être divin jusqu'à ce que j'aie 23 ans pour pouvoir entreprendre de cheminer pour me rappeler. J'ai choisi de ne pas le savoir au début de ma vie pour pouvoir m'en rappeler une fois adulte, à mes conditions, afin de pouvoir reconnaître l'amour inconditionnel et la tendresse, reconnaître en moi le désir que j'en avais, les chercher et les demander, les accepter pour moi et par moi quand ils m'étaient offerts. J'ai choisi de trouver une culture et des modèles qui m'offriraient le type de milieu qui me rendrait autonome et me pousserait à chercher des exutoires créatifs et un sens plus profond à ma vie. J'ai choisi avec sagesse les âmes qui m'aideraient ainsi que celles qui représenteraient un défi pour moi. Je crois que j'ai choisi mes expériences transcendantes pour m'inspirer et me rappeler ma voie. J'ai choisi de donner naissance à deux beaux anges. Simplement en étant qui ils sont, ils m'inspirent de jouer, de rire et d'être audacieusement exubérante. Je crois qu'ils m'ont aussi choisie comme guide dans leur vie et que mon rôle est de les aimer exactement tels qu'ils sont.

Je suis aussi arrivée ici avec le libre arbitre, c'est-à-dire la capacité de changer d'idée et de prendre des décisions en chemin. Même si un plan général préside à ma vie, je crois aussi que je peux choisir à volonté et changer n'importe quelle partie du plan si j'en ai envie. J'aurais pu continuer à être enseignante si je l'avais vraiment voulu. J'aurais pu rester avec Mike si je l'avais vraiment voulu. Personne ne m'en empêchait. Mais, quand j'ai choisi, en allant contre mon cœur et mon âme, quand je suis allée à l'encontre de ce que j'avais choisi au départ avant mon incarnation, ma vie est devenue moins amusante, moins facile et pas très signifiante. Mon seul véritable choix était de me rappeler mon destin ou pas.

Plus je m'accordais avec mon premier choix, mon destin, plus je m'accordais avec le destin d'autres personnes centrées dans leur cœur. Plus encore, je m'accordais avec le cœur authentique de personnes qui n'étaient même pas conscientes d'être centrées dans leur cœur. Je pouvais voir l'esprit de quelqu'un par-delà ses paroles et ses actes.

Plus je me rappelais que j'étais un «dieu travesti», moins il y avait de conflit ou de séparation entre ce que je voulais et les désirs de l'univers. Au fond, nous voulons tous la même chose. Nous l'oublions, tout simplement, et quand nous nous en souvenons, nous avons tous des façons uniques de l'exprimer.

Vu sous cet angle, le choix prend un nouveau sens. Quand je regarde ma vie avec du recul, je peux voir que je n'ai jamais vraiment eu d'autre choix sinon l'occasion toujours renouvelée de choisir de me rappeler ma vraie nature ou pas. Quand je choisissais de participer à la vie à partir de *penser* et d'*agir* sans être solidement ancrée dans *être* et *ressentir*, j'oubliais qu'il y avait en moi un mouvement sans effort qui me guidait pour exprimer et créer les plus grands rêves de mon cœur et je faisais des choix qui m'écartaient du courant. En revanche, quand je choisissais de me souvenir de ma nature essentielle, quand je prenais des décisions sans passer par mon intellect, elles se présentaient comme un choix naturel incontesté venu de mon corps, de mon âme et de ma divinité.

Je voue une reconnaissance incroyable à ma mère. La côtoyer me rappelle l'importance de ce premier choix.

CHAPITRE 33

Miroirs et métaphores

L'âme est une intention. En vertu de son désir de prendre de l'expansion et d'évoluer, elle a un dessein. Elle est guidée par une intelligence. Cette intelligence communique par le langage des métaphores et nous pouvons le décoder en étant attentifs aux métaphores qui abondent autour de nous et en nous. Bien que les métaphores soient surtout utilisées comme procédé littéraire, j'ai constaté que nous pouvons en savoir plus sur ce que notre âme souhaite créer, *faire*, à travers les métaphores qui se présentent à nous.

Je me souviens du jour où j'ai vraiment compris que je pourrais créer la vie que je voulais vraiment, que j'étais après tout le champ des possibilités infinies. Pendant un moment, cela m'est apparu comme une grosse responsabilité. Qu'est-ce que je voulais vraiment ? Toutes les possibilités s'offraient à moi et je n'avais qu'à choisir celle que je voulais, m'investir dedans, me montrer patiente avec elle et l'aimer. Mais comment fait-on son choix dans le champ des possibilités infinies ? J'ai appris que ce qui était là représente les choix qu'il nous revient de faire en fonction de notre destin et du plan que nous avons conçu avant de nous incarner. Les métaphores représentent le système de communication de ce plan. Nous avons peut-être tout le champ des possibilités à notre disposition mais certains indices nous montrent la voie pour nous aider à trouver celles qui sont vraiment les nôtres.

Qu'est-ce qu'une métaphore ? Une métaphore est un motif énergétique qui apparaît sous une forme autre que sa représentation première. La métaphore est souvent employée pour illustrer une idée abstraite afin de la rendre plus facile à comprendre en la présentant dans un autre contexte. Voir la métaphore, c'est reconnaître le symbolisme de l'idée. Les métaphores sont souvent employées en poésie, comme celle-ci, tirée de la pièce de Shakespeare, *Comme il vous plaira*, qui nous donne un autre point de vue sur la vie, la mort et la naissance :

> *Le monde entier est un théâtre, et les hommes et les femmes ne sont que des acteurs ; ils ont leurs entrées et leurs sorties.*

Et cette citation de Mark Twain sur le pardon :

> *Le pardon est le parfum que la violette répand sur le talon qui l'a écrasée.*

J'aime les métaphores. Elles sont mon lien avec le grand mystère, une carte pour que je comprenne les innombrables formes d'expression de l'univers. Quand je regarde les images de l'espace prises par le télescope Hubble, je ne peux m'empêcher de remarquer l'incroyable ressemblance du panorama de la Terre avec celui de l'intérieur du corps humain et d'une cellule[8]. Les réseaux de fleuves et de rivières à la surface de la Terre sont le reflet du réseau de nerfs et de veines dans notre organisme.

Un évènement synchrone est une métaphore créative, une métaphore qui nous montre en temps réel le schéma de notre trajectoire. Au cours des dernières années où j'ai animé des ateliers, je n'ai jamais cessé d'être étonnée de voir comment la nature en dehors de la salle où se donne l'atelier reflète le travail que nous faisons à l'intérieur. Plus l'intensité grandit dans la conversation et que douleur et chagrin sont exprimés, plus la pluie se mettra à tomber drue, reflet de nos émotions, comme pour contribuer à la guérison. Nous verrons un cerf du coin de l'œil, un faucon nous survolera ou un arc-en-ciel majestueux apparaîtra en même temps que nous nous abandonnons à nous-mêmes. En remarquant les métaphores qu'offrent les animaux et les éléments, nous témoignons de leur médecine et de leurs pouvoirs de guérison et nous comprenons à quel point nous sommes reliés et absolument pas seuls. La nature ne cesse jamais de refléter notre divinité et notre processus : c'est une admiratrice et une partisane tellement fervente quand nous nous arrêtons assez longtemps pour le remarquer et le voir.

Ce sont les métaphores qui m'ont incitée à étudier la littérature. Je prenais beaucoup de plaisir à lire un roman et à dégager les schémas inscrits dans l'imagerie, la structure du texte, la narration et la vie des personnages. J'aimais déconstruire ces schémas et trouver leur signification dans le contexte plus large de la vie du personnage ou de l'auteur. Aujourd'hui, je fais la même chose mais dans ma vie personnelle. Je m'intéresse aux schémas et à leur sens. Je le fais pour moi, avec mes clients et avec les participants à mes ateliers.

Du plus loin que je me souvienne, les métaphores m'ont toujours fourni des indices sur le monde, sur qui je suis et sur la raison de ma présence ici. Enfant, j'étais très intuitive. J'étais profondément sensible aux gens et aux situations. Je sentais comment les motifs énergétiques s'unissaient dans un mouvement harmonieux quand il y avait cohérence autour de moi. Je sentais aussi comment ils s'entrechoquaient et se repoussaient mutuellement quand les choses étaient forcées ou contrôlées. Je remarquais souvent que les paroles des adultes disaient une chose mais qu'ils émettaient pour leur part une énergie contraire. Quand il y avait cohérence toutefois, quand elles coulaient de source, les paroles étaient des métaphores parfaites de l'état énergétique de la personne qui les prononçait et alors, j'étais ravie.

En regardant mon cheminement jusqu'ici, je peux voir d'autres métaphores. Le mot *maman* était un symbole d'intimité avec ma mère. Ma montre qui s'est arrêtée le soir au moment où Mike entrait dans le restaurant était une métaphore de mon destin mis sur la touche. Le surf était une métaphore pour la liberté que je vivais dans ma relation avec Paul et le golf, une métaphore pour la maîtrise et la vie mesurée que j'avais avec Mike.

Je vois à présent une métaphore dans ma blessure au foie. En terme de taille, le foie est le deuxième organe après l'épiderme et il a plus de fonctions connues que tout autre organe dans le corps humain. Ses principales fonctions sont de détoxiquer le sang et de métaboliser les nutriments. Pour la médecine chinoise, un foie en santé signifie une relation saine avec nos émotions. Elle affirme aussi que lorsque le foie fonctionne de façon optimale, il offre à l'âme un corps hospitalier pour vivre. Mon foie séparé en deux par le milieu était une métaphore de mes deux réalités séparées, mes vies mises en parallèle qui sont montées à ma conscience et nécessitaient une intégration.

Au fond, toutes les métaphores peuvent se résumer à un schéma où l'amour grandit ou à un schéma où il avorte. Dans notre cheminement pour nous rappeler qui nous sommes vraiment et guérir nos vieilles blessures, il est utile de remarquer les métaphores de l'amour et de la peur dans notre vie et de les conscientiser. L'amour est le mouvement sans entraves de notre force de vie. L'amour est l'Esprit qui circule dans notre corps et notre esprit, inspirant à chacune de nos cellules de se rappeler sa nature illimitée. À l'inverse, la peur est ce même mouvement avorté. La peur se manifeste quand le mouvement est perturbé et que la force de vie qui nous anime est paralysée par trop de protection.

La base de mon travail avec les individus consiste à prendre un schéma apparemment limitatif et à le placer dans un contexte plus large. Quand j'écoute en profondeur, je cherche le schéma qui prédomine, le fil qui semble limité. Une fois que je le sens et que je le trouve, je perçois comment il pourrait être appliqué à un contexte plus large et plus aimant pour libérer le récit des frontières contraignantes de la peur.

Quand je me sers des symboles de la Huna dans mes séances de guérison énergétique, je travaille avec des symboles anciens qui viennent des motifs que l'on retrouve dans la nature. Ce sont des schémas de vie primaires – des schémas dont l'intention est vaste et qui peuvent s'appliquer à n'importe quelle situation. Le but de la séance de guérison énergétique est d'encourager le schéma limité de l'énergie dans le corps à s'identifier à un schéma plus vaste. Si l'opération réussit, le corps reconnaît sa force de vie dans le schéma, élève sa vibration et s'harmonise avec lui. On n'a qu'à être témoin de l'harmonisation.

Je veux partager avec vous une histoire que j'ai lue dans *Le livre des coïncidences* de Deepak Chopra.

Un homme qui venait d'arriver dans un village se rendit chez le maître soufi, le vieux sage de la région. «Je dois décider s'il convient que je m'installe ici ou non. Je me demande quel est le style du quartier. Pouvez-vous me parler des gens qui vivent ici?» demanda le visiteur. «Dites-moi, comment étaient les gens là où vous habitiez?» s'enquit à son tour le maître soufi. Le visiteur répondit: «Oh, c'étaient des bandits de grand chemin, des escrocs et des menteurs.» «Vous savez, les gens qui vivent ici sont exactement du même style», dit le vieux maître. Le visiteur quitta les lieux et ne revint jamais. Une demi-heure plus tard, un autre homme arriva dans le village. Il alla voir le maître soufi et lui dit: «J'ai le projet de venir m'installer ici. Pouvez-vous me dire comment sont les habitants de ce village?» Le maître soufi lui demanda: «Dites-moi, comment étaient les gens à l'endroit où vous habitiez?» «Oh, dit le visiteur, c'étaient les meilleures personnes au monde, les gens les plus aimables, les plus doux, les plus compatissants et les plus affectueux. Ils me manqueront terriblement.» «C'est exactement le même genre de personnes que vous trouverez ici», dit le maître soufi[9].

Cette parabole illustre le fait que notre réalité extérieure est une métaphore pour notre perception intérieure. Parfois, quitter un emploi que nous n'aimons pas à cause des gens ou du milieu ne suffit pas à nous rendre heureux ou à satisfaire les désirs de notre âme. Parce que si c'est en nous que se trouve le malheur, changer le monde extérieur ne servira à rien. Nous continuerons de créer la même réalité.

Les relations sont une source formidable de métaphores. Les personnes qui sont dans notre vie sont les miroirs de ce qui circule en nous. Quand j'ai regardé Olivier dans les yeux quelques instants après sa naissance, j'ai ressenti de la chaleur et de la paix dans mon corps et l'intuition d'être en présence d'un immense amour. L'essence aimante de mon âme s'est reconnue en lui. Comme Olivier s'est exprimé sans retenue en *étant* simplement là, entier et magnifique, mon être a réagi en vibrant à la même fréquence, me faisant vivre une expérience transcendante.

Ma fille Hanalei est née en hurlant à pleins poumons. On aurait dit qu'elle avait une foule de choses à dire et à partager avec le monde. Quand elle a grandi, sa capacité à s'exprimer sans retenue ne l'a pas quittée et c'est ce que j'aime le plus chez elle. Lorsque je vois l'immensité de son âme quand elle rit, danse, chante en toute liberté et ressent avec une exubérance si profonde, j'ai le souffle coupé en sentant à quel point mon âme veut aussi chanter sa chanson sans gêne. Hanalei est une force de la nature ; elle exprime sa force sans complexe et façonne petit à petit son monde avec audace.

Nos relations sont souvent nos meilleurs maîtres, surtout nos relations difficiles. Nous souhaitons souvent que les relations difficiles disparaissent de notre vie. Elles nous épuisent et ne semblent rien apporter de valable. Cependant, les personnes difficiles sont nos miroirs et nous reflètent les schémas limitatifs qui sont en nous. Quand vous devenez le témoin de ce que vous êtes dans les paroles et les actions des autres et que vous pouvez voir que les gens difficiles ne font que refléter des aspects de vous que vous n'aimez pas, que vous ne vous êtes pas pardonnés ou que vous n'avez pas assez aimés, vous avez le pouvoir de changer la relation. Au lieu de vous sentir attaqué ou mal traité par la personne, vous pouvez faire intervenir le sentiment que vous défendez un traumatisme passé toujours vivant en vous. Vous êtes alors dans une position de choix puisque vous êtes capable d'assumer ce qui vous appartient et de guérir ce qui s'agite en vous. Quand une conversation difficile menace, affrontez-la (ou entrez dedans en douceur) au lieu de détourner les yeux. Restez dans cet échange difficile – présent à votre malaise et au « bagage » qui est à vous. Vous n'êtes pas ce « bagage » mais il vit en vous en visiteur qui n'a pas été invité.

Quand vous resterez courageusement présent à votre malaise, avec votre respiration profonde, votre attention et votre amour-propre, vous commencerez à vous apercevoir que l'autre personne a changé. À mesure que vous changez et que vous vous transformez, vous rayonnerez un nouveau schéma énergétique qui attirera des schémas nouveaux et plus vastes. Le vieux schéma disparaîtra, n'émettant plus d'énergie pour attirer ce qu'il avait l'habitude d'attirer. Un nouveau schéma plus vaste se présentera à sa place et les gens cadrant dans ce schéma seront attirés dans votre orbite. Votre vie extérieure changera en vertu de votre changement intérieur. Vous serez aux commandes parce que vous êtes le créateur.

Pour ce qui est de nos aspects limités que nous remarquons chez les autres, nous pouvons nous poser les questions suivantes : où vit cet aspect en moi ? Où suis-je comme cela dans ma vie ? Pas dans un esprit de jugement mais dans un esprit de curiosité et de découverte de soi. C'est la même chose quand nous remarquons quelque chose d'exceptionnel chez une autre personne. Quand un ami ou un modèle de rôle nous inspire, une partie de nous se reconnaît dans l'autre. Cette essence que nous considérons comme l'apanage de l'autre vit en nous. Si nous n'avions pas ce schéma en nous, il ne nous inspirerait pas. Nous ne le remarquerions même pas. Quand nous admirons des gens comme Mère Teresa ou le Dalaï lama, c'est que nous nous reconnaissons en eux. Nous sommes cet amour et cette compassion et notre corps nous le dit.

Passer du temps avec des gens qui nous inspirent est un bon moyen de devenir qui nous savons que nous sommes censés être. Si vous désirez devenir écrivain, mettez un groupe d'écriture sur pied et invitez des écrivains à participer. Si vous voulez plus d'expression artistique dans votre vie, visitez des musées et des galeries d'art et échangez avec des artistes et des passionnés d'art. Piquez votre curiosité et suivez-la où elle veut vous conduire. Une fois sur place, laissez-vous gagner par la gaieté et l'enchantement. Laissez-vous guider par cette essence jusqu'à votre prochaine pierre blanche.

Nous pouvons nous demander « où vit cette essence plus large en moi ? » et « quels sont les sensations, les sentiments, les images, les couleurs qui montent en moi quand je suis dans l'expérience ? »

Quand vous trouvez la réponse, aimez-la et nourrissez-la en lui accordant du souffle et de l'attention. Demandez-vous ensuite : « Où suis-je déjà comme cela dans ma vie ? » Voyez où vous vivez déjà cette essence ou à quel moment vous l'avez déjà vécue. Quand vous trouvez la réponse, faites délibérément grandir cet aspect de votre vie pour qu'il prenne plus de place, en laissant tomber ce qui ne fait pas partie de cette essence.

Quand nous nous acceptons et que nous nous aimons parce que nous sommes le spectre entier de notre expression – ombre et lumière, peur et amour –, nous nous rappelons que nous sommes complets. Nous cessons de nous juger pour nos faiblesses en voyant qu'elles ne sont que des aspects de nous que nous n'avons pas encore examinés. Quand nous cessons de nous juger, nous pouvons être des miroirs de l'âme pour quelqu'un d'autre. Tout ce que nous voyons chez les autres correspond à ce que nous savons que nous sommes : des êtres entiers. Nous pouvons être « compatissants devant la passion d'un autre » sans les entraves des croyances limitatives[10].

Je crois que les plus grands guides et les plus grands maîtres sont ceux qui comprennent leur ombre. Ils peuvent écouter sans essayer de répondre au questionnement de leur interlocuteur et celui-ci peut parler sans avoir l'impression d'avoir un problème. Quand nous comprenons cela, nous pouvons devenir nous aussi des guides formidables pour les autres, en leur renvoyant un soutien honnête et inconditionnel.

L'analogie de l'homme qui cherchait un nouvel endroit pour vivre illustre bien l'adage : il en est du dehors comme du dedans. Peu importe où nous sommes dans le temps et l'espace, notre réalité sera le reflet de ce qui est en train de se passer en nous.

Alors, comment les métaphores peuvent-elles nous aider à trouver le chemin de notre âme ?

Quand nous reconnaissons les schémas de notre âme en nous – inspiration, émerveillement, exubérance, paix, gratitude et compassion –, nous commençons à créer à l'extérieur de nous une réalité qui reflète notre état intérieur. Quand nous accordons plus d'attention à ces schémas, quand nous les ressentons et que nous leur permettons de circuler en nous, de grandir et de s'exprimer, nous créons notre réalité. Nous agissons comme le formidable créateur que nous sommes en réalité.

Les schémas d'âme sont les différents moyens grâce auxquels nous faisons l'expérience de notre âme en nous. L'expérience de l'âme est tellement subjective qu'il n'y a pas un seul et unique mode d'emploi. Au cours des quinze dernières années, j'ai remarqué que les schémas de mon âme avaient une tout autre couleur émotionnelle que celle des schémas de mon passé. Les schémas de mon âme vibrent aujourd'hui de mon expérience de la joie, de l'acceptation, du rire, de la beauté, du ravissement, des intuitions et de l'évolution. Le fil principal est la sensation d'expansion dans ma poitrine et de certitude dans mon ventre.

Quand vous ressentez un sentiment d'expansion dans votre corps, remarquez-le. Prenez mentalement note de cette expérience physiologique dans votre corps pour pouvoir vous rappeler que c'est un indice que votre âme vous envoie. Suivez ces indices un à la fois. Ils vous conduiront à découvrir de plus en plus votre vocation.

Un jour, en faisant un exercice dans un cours de développement personnel auquel je participais, j'ai été invitée à choisir un élément de la nature qui reflétait un aspect de moi. J'ai choisi le soleil et souhaité être plus comme lui. C'est alors qu'une intuition m'a traversée : je pourrais ne pas me contenter d'être « comme » le soleil, je pourrais « être » le soleil. Tandis que je réfléchissais à cette idée, que je me mettais dans le soleil et que je mettais le soleil en moi, une révélation m'est tombée dessus. J'ai dû respirer à fond. Au début, j'ai eu peur d'émaner trop de lumière et je me suis inquiétée que je pourrais brûler les gens que j'aimais si je m'autorisais à *être* le soleil. Mais quand j'ai respiré encore une fois à fond dans cette peur, j'ai su que je brillais avec un peu plus d'éclat.

La même chose se produit quand j'entends une bonne chanson à la radio et qu'elle me plaît tellement que j'ai envie de pleurer. Ou bien quand je vois des acteurs doués jouer une grande pièce de théâtre. Je m'investis totalement, en accueillant complètement le schéma de création qui part d'un sentiment. Quand nous sommes arrivés en voiture à la frontière de la Suisse et de l'Italie, j'ai pleuré de révérence en voyant les Alpes majestueuses. Quand je vis des moments comme celui-là, je tourne mon attention sur le sentiment de beauté et de joie et je le respire profondément. J'invite avec gratitude le sentiment irrésistible d'être pleinement vivante à l'énergie de mon âme à prendre plus de place dans mon corps. Ces moments sont pleins de grâce. J'ai parfois l'impression que mes sentiments sont tellement immenses que je vais exploser. Parfois, j'ai même peur de l'intensité de ma joie.

Dans ces moments-là, je fais confiance à mon corps pour gérer cette intensité et encaisser l'énergie. Je sais que c'est l'immensité de mon âme que je ressens et je transforme tout mon corps avec chaque respiration pour lui faire plus de place. Je sais que l'univers ne m'enverrait pas quelque chose que je ne pourrais pas gérer. Je sais que je reçois un cadeau, une occasion de « reconfigurer » mon corps pour qu'il ressemble plus à une âme en ce monde. Je sais que c'est ainsi que je *deviens*.

Pensez à ces moments qui vous coupent le souffle. Quelle est l'essence du moment ? Quelle est la signature énergétique, la qualité du moment ? Cette essence est l'essence de votre âme. Je vois ces moments comme des points sur une image en pointillés, qui nous guident un pas à la fois et puis en même temps comme l'image d'ensemble, le jour où nous regardons derrière nous et voyons comment tous les points que nous avons suivis étaient reliés de manière intelligente et formaient un portrait complet. Notre tâche du moment consiste à nous fier qu'il y a une intelligence et un grand plan en jeu. Tout ce que nous avons à faire, c'est nous fier à une expérience subjective d'émerveillement, de joie et d'amour pur et la laisser nous guider jusqu'à la suivante.

Sachant cela, nous pouvons choisir de favoriser un paysage intérieur inspiré de tout ce que notre cœur désire. Nous pouvons choisir de fixer notre attention sur ce qui importe le plus et laisser aller ce qui ne nous sert plus. Nous pouvons choisir de planter encore une fois, comme des enfants, les semences du jeu, de l'émerveillement et de la découverte.

CHAPITRE 34

Créateur conscient

⸻

Pourquoi suis-je ici, *moi*? Pourquoi ai-*je* choisi de venir sur Terre maintenant? Quelle est *ma* vocation?

Trop de gens meurent en regrettant de ne pas avoir réfléchi plus tôt ou plus profondément à ces questions au cours de leur vie. Si seulement nous connaissions les réponses, nous saurions sur quoi fixer notre attention et nous manifesterions en conséquence.

J'ai découvert que les réponses ne sont pas fixées comme dans le cas d'une carrière ou d'une chose précise que nous faisons mais qu'elles sont plus de l'ordre de l'essence ou du processus. Par ailleurs, souvent ce processus ne se traduit pas facilement dans un paradigme existant justement parce qu'il est nouveau et créateur. Par conséquent, il est plus pertinent de questionner que de répondre.

Une question en tête est comme un rayon de soleil dans une pièce obscure: elle vous aide à contempler le fait que les apparences ne sont pas telles que vous les concevez. Avec une question, une porte s'ouvre sur «une autre façon de faire».

Il n'est pas aussi important de répondre à la question ici et maintenant avec nos capacités intellectuelles et notre esprit logique que d'y réfléchir et de la vivre. Nous ne pouvons pas imposer de limites et d'étiquettes conditionnées à ce qui est illimité et toujours changeant. Si nous nous autorisons à garder la question dans notre conscience, dans notre cœur, nous continuerons d'avancer en direction de la réponse.

Vivre la question, c'est vivre avec intention et dessein. Quand nous nous posons une question, nous confions à notre être et au champ énergétique de l'univers notre désir de savoir, de comprendre et de découvrir un peu plus qui nous sommes. Quand nous posons une question sans essayer de trouver la réponse, nous gardons notre esprit ouvert à toutes les possibilités. Plus nous renonçons à fixer une échéance pour avoir la réponse et savoir comment l'obtenir, plus la demande sera efficace.

Un bon moment pour planter la graine d'une question est juste après avoir médité, dès notre réveil le matin ou durant une période paisible que nous nous sommes délibérément réservée pendant la journée, parce que l'esprit est plus calme et le corps est en mode croissance. Durant ces instants propices, poser une question sème dans le tissu de la conscience l'intention d'être ouvert à ce que l'âme souhaite communiquer. Quand l'esprit et le corps sont silencieux et paisibles, la graine est plantée dans un sol fertile.

C'est une approche très différente d'utiliser surtout le mental pour formuler une intention. Je peux formuler toutes les intentions que je veux intellectuellement : je veux une nouvelle maison, une nouvelle voiture, la paix dans le monde, rencontrer mon âme sœur, etc. Ces intentions ne sont ni bien ni mal, ni bonnes ni mauvaises. Avec le temps et un travail acharné, elles peuvent certes se concrétiser puisque nous sommes le créateur de tout cela. Mais selon mon expérience, ces intentions ne seront peut-être pas entièrement en harmonie avec l'âme. Et lorsqu'elles ne le sont pas, c'est comme si nous devions travailler dur quand la *raison* qui nous fait agir ne vient pas d'un dessein plus profond, riche de plus de sens.

Quand il est coupé du corps et de l'âme, le mental ne peut créer que ce qu'il connaît déjà, c'est-à-dire qu'il recrée une autre version du passé. Si vous voulez explorer quelque chose de neuf, si vous voulez au fond de votre âme connaître toutes les dimensions du soi créateur et vivre la joie sur tous les plans de l'existence, vos intentions devraient venir de ce même espace *d'être* plus profond et plus ouvert. Alors, les intentions doivent aussi être formulées de façon plus ouverte. Elles doivent être formulées sous forme de demande de renseignements.

On enseigne souvent en quelque sorte à diluer la responsabilité avec les intentions, comme si après avoir remis notre demande à l'univers, notre travail était terminé. Selon moi, c'est remettre notre pouvoir à une force qui est distincte de nous et capable de donner ou de refuser de donner.

Il y a une grande différence entre assumer pleinement ce qui est vraiment important pour nous au fond comme désir sacré et demander à l'univers de manifester ce que nous comprenons intellectuellement de nos besoins. Quand une intention vient de l'essence de notre être le plus authentique, elle résonne avec plus de vulnérabilité en nous. Nous sommes plus investis émotionnellement parce que les enjeux sont plus grands. Nous assumons et revendiquons notre véritable nature et cette expression est un grand pas dans notre évolution. En essence, nous honorons le fait que nous nous aimons et que nous comptons assez pour valider cet amour en assumant et en exprimant ouvertement nos désirs les plus profonds.

Il y a plusieurs années, une animatrice m'a demandé durant une méditation : « Pourquoi es-tu ici ? » Elle n'a pas donné plus de détails et pendant un moment, je n'ai pas pu déterminer si elle voulait dire ce que je faisais dans cette séance en particulier ou ce que je faisais ici dans la vie en général. En réfléchissant aux deux possibilités, j'en suis venue petit à petit à conclure que la réponse était peut-être exactement la même. Si ce moment est tout ce qui existe, mon choix d'alors est mon choix de maintenant.

Quand cette révélation m'est tombée dessus, le temps et l'espace se sont effondrés en moi et j'ai eu l'impression que l'Histoire au complet était déversée dans mon corps à ce moment précis du temps. Si c'était vrai et si je me mettais en phase avec la raison de ma présence ici à ce moment dans ce cours, je toucherais au grand « pourquoi » de ma présence ici dans cette vie. Les deux raisons auraient la même essence en commun.

Mon intention en participant à l'atelier était de me rappeler un peu plus qui j'étais vraiment et d'aider les autres à faire la même chose. Je voulais guérir, trouver la paix en moi et approfondir ma relation avec mon âme. C'était mon dharma et l'appel de mon âme. Comment et quand je le ferais ne représentaient que des détails qui me seraient révélés au fil de mon existence.

Être un créateur conscient est une façon très différente de manifester notre réalité. Nous invitons *Être* et *Ressentir* à informer ce que nous *Pensons* et *Faisons* pour que nos désirs les plus profonds se manifestent. L'idée est plus de « laisser faire » que de « faire », c'est-à-dire de laisser le courant de notre âme s'exprimer, par opposition à orienter une conclusion en agissant dans le but d'obtenir des résultats. Nous devenons des artistes dans le médium qu'est la vie.

Être le créateur conscient de ma vie ne veut pas dire que je n'ai pas mal ou que je ne me perds pas, parce qu'il m'arrive d'avoir mal et de me perdre ! Quand je suis dans les tréfonds de mon bouleversement intérieur, j'essaie de me rappeler que je ne suis pas la blessure ou l'histoire associée à ce qui me perturbe. C'est plutôt que mon corps est un véhicule pour en assimiler l'expérience. J'essaie de me rappeler qu'avant le calme, il y a le chaos de la tempête et que ce chaos représente le processus de la vie qui se réorganise à mesure qu'elle se transforme et évolue. J'essaie de me rappeler que je suis au cœur d'un processus créateur et que je suis en phase d'incubation. J'essaie de me rappeler que cela passera, comme tout dans la vie. Je ne peux pas m'accrocher à ce que j'étais avant parce que cela disparaît à mesure que je guéris et je ne comprends pas toujours complètement qui je suis en train de devenir. Je suis venue apprendre que plus je résiste au chaos quand il surgit dans ma vie, plus je me crée de la souffrance. Ce que je peux faire de mieux, c'est m'abandonner à l'impression d'être hors de contrôle et laisser la vie faire son affaire.

CHAPITRE 35

Communiquer avec authenticité

———— ⚘ ————

Quand j'étais toute petite, mon cœur était ma voix. Ils n'étaient pas séparés. J'étais exubérante et joyeuse. Ma mère avait l'habitude de me surnommer son rayon de soleil. J'exprimais ce que je ressentais avec enthousiasme et sans retenue. Jusqu'à ce que je perde ma voix, petit à petit.

Au primaire, j'avais souvent des ennuis en classe. J'aimais distraire mes camarades de classe en me retournant pour leur parler, leur raconter des histoires drôles et les faire rire. Les professeurs n'aimaient pas du tout mais je ne m'occupais pas beaucoup d'eux. Résultat? Beaucoup de temps derrière la bibliothèque « en pénitence » avec les autres fauteurs de trouble.

Et une révélation.

J'avais encore une fois été mise en pénitence quand je me suis brusquement aperçue que j'étais la seule fille de ma classe qui continuait à se créer des ennuis. Je me souviens que j'ai examiné une autre de mes camarades, Véronique. Ses cheveux étaient bien coiffés et elle portait une belle robe propre, contrairement à mon survêtement, constellé de taches de boue. Elle était assise bien droite et écoutait le professeur. Elle recevait souvent des éloges.

Dès cet instant, j'ai décidé que j'en avais assez et je me suis mise à écouter le professeur et à obéir. Il s'est trouvé que j'étais très bonne pour faire cela. Je suis devenue une des étudiantes qui se comportaient et réussissaient le mieux dans ma classe. J'aimais ce que je ressentais en étant complimentée, vue et validée par le professeur. J'avais l'impression que c'était de l'amour et c'était certainement beaucoup mieux que d'être grondée. Ce fut un moment décisif. Je venais de comprendre comment contrôler mon environnement et donc mes sentiments.

Alors j'ai persévéré. J'ai cultivé l'identité de la fille intelligente et la voix qui venait avec. La voix de la fille intelligente n'est pas aussi spontanée et ne vient pas du cœur. Elle est calculée et calibrée pour donner un résultat précis. Elle vient de l'esprit, où elle peut être maîtrisée.

Finalement, mon cœur n'a presque plus parlé. Je ne savais même pas qu'il y avait une autre façon d'*être* que de vivre en partant de mon intellect. Je maîtrisais ma voix pour obtenir les résultats voulus par mon intellect. Mais une toute petite voix intérieure restait, celle que je qualifiais de dingue et que je n'arrivais pas à chasser.

J'ai gardé longtemps cette habitude d'essayer de plaire aux autres par mon comportement. Il y a eu la fois où j'ai rédigé un essai sur *ma* philosophie de vie au secondaire, obtenu une mauvaise note et réécrit mon texte pour plaire au professeur. Ensuite, il y a eu ma thèse où j'ai insisté davantage sur ce que voulait ma directrice de thèse, n'écrivant jamais vraiment ce que mon cœur voulait exprimer.

C'est la pression engendrée par le désir de mon cœur de s'exprimer qui a créé la douleur dans ma tête. Petit à petit, avec les bonnes personnes, au bon endroit et au bon moment, j'ai épluché les couches de l'oignon qui avait érigé un voile entre ma conscience et mon cœur. Au début, je ne savais pas qu'il y avait un autre moyen. Néanmoins, quand je me suis fait rappeler mon cœur, rappeler de revenir dans mon corps et d'écouter l'information qu'il transmettait, j'ai graduellement retrouvé le chemin de mon cœur et j'ai pu retrouver aussi ma voix spontanée.

Il y a quelques années, je me suis jointe à une chorale communautaire suite à l'encouragement d'une amie formidable. Ainsi, j'ai pu laisser chanter mon cœur à voix haute sans le couper dans son élan d'expression naturel. Bien des fois, debout au dernier rang avec tous ces beaux hommes et ces belles femmes qui chantaient en harmonie, j'ai senti des larmes de joie couler sur mon visage. Chanter a libéré la tension et évacué les blocages dont j'ignorais même l'existence dans ma gorge, ma mâchoire et mes lèvres. Mon âme avait enfin une voie pour s'exprimer directement dans un seul mouvement ininterrompu, avec passion, dessein et sagesse.

Ce n'est que récemment que j'ai pu vraiment mesurer la somme d'énergie que j'avais dépensée à me taire et à beaucoup trop réfléchir avant de parler. Cela faisait que le ressentiment et la colère couvaient silencieusement en moi et donnaient beaucoup d'heures et de jours à participer à des conversations qui ne m'intéressaient pas vraiment. J'étais devenue un caméléon, dissimulant mon être véritable et n'en montrant que certains aspects dans certaines situations, comme j'aurais endossé un rôle ou un déguisement.

L'idée qu'exprimer sa vulnérabilité est une faiblesse a été codée en dur chez beaucoup de gens. Nous nous retenons, honteux de notre tristesse, de notre colère, de notre déception et de notre ressentiment. Il est intéressant de noter que sur le plan métaphorique, la gorge, l'instrument avec lequel nous exprimons notre vulnérabilité, se trouve dans le cou, l'endroit le plus exposé et le moins protégé de notre corps. J'ai pu constater dans ma pratique privée que la vraie créativité dans la vie de l'être vit là où commence sa vulnérabilité.

Au cours des dernières années, l'universitaire et auteure américaine Brené Brown a beaucoup fait parler d'elle en partageant les conclusions de sa recherche sur la vulnérabilité et la honte ainsi que l'histoire de son « effondrement nerveux » personnel dans sa conférence TEDx de 2010. Dans ses livres, *La force de l'imperfection* et *Le pouvoir de la vulnérabilité*, elle dit que la honte est la raison qui nous fait craindre de nous montrer vulnérables les uns avec les autres. Avoir honte, c'est avoir peur que le lien avec les autres sera brisé ou perdu s'ils découvrent un certain aspect de notre être.

Nous sommes nombreux à avoir vécu en grandissant des expériences où nous avons été accueillis par le jugement, le ridicule ou le rejet lorsque nous avons exprimé nos émotions ou notre vulnérabilité. Or, quand le lien avec quelqu'un qu'il aime est menacé par l'expression de ses émotions, l'enfant choisira de maintenir le lien plutôt que d'exprimer ses émotions. En essence, le message inconscient qui est communiqué est : « Être moi, juste moi, spontanément et sans retenue, ne suffit pas, c'est mauvais, c'est mal. Je ne suis pas assez bien, je suis mauvais, j'ai tort. »

La honte est une des émotions parmi les plus toxiques que nous puissions ressentir. Le célèbre psychiatre Carl Jung l'a qualifiée « d'émotion dévoreuse d'âme ». La honte est puissante parce qu'elle est directement reliée à notre identité. Quand nous ressentons de la honte, nous nous sentons « moins que ». Consciemment ou inconsciemment, nous nous identifions au fait que nous sommes mauvais ou que nous avons tort.

La honte peut nous entraîner dans un cercle vicieux de logique qui tourne en boucle, impliquant notre jugement ou celui d'un autre.

La honte existe dans le silence. Ce silence alimente notre sentiment d'indignité et nos pensées critiques. Derrière le silence, notre vérité veut s'exprimer, elle qui a été tue trop longtemps. Donner voix à notre honte en exprimant notre vérité, en exprimant ce qui s'est passé et comment nous nous sentons, empêchera le silence d'alimenter la honte.

Une des choses les plus thérapeutiques que nous pouvons faire pour nous est de trouver notre groupe de personnes à l'esprit et *au cœur* ouverts et de chercher notre communauté de choix, l'endroit où nous pouvons exprimer à voix haute la vérité qui est en nous. Ces personnes ne seront peut-être pas des membres de notre famille biologique. Nous pourrons avoir à sortir de notre zone de confort et à faire des ouvertures à différents types de personnes qui font le même cheminement de guérison que nous. Notre monde change quand nous l'abordons autrement. Que pouvez-vous faire aujourd'hui pour sortir de votre zone de confort personnelle ?

Par ailleurs, associer des sons à nos émotions les plus profondes restaure le mouvement, la paix et la joie. Les paroles de honte et les paroles du cœur ont tendance à nous rester dans la tête. Elles tournent souvent en boucle et ne résolvent pas vraiment grand-chose. Provoquer la collision des paroles et du son et les expulser de notre corps dans le monde réel résout les problèmes. Quand le son passe par notre gorge, nos cordes vocales, et sort par notre bouche, ce qui n'est pas manifeste obtient de s'exprimer et devient manifeste.

Les incidents traumatisants dans la région du cou et du visage et la répression répétée de notre opinion et de notre vérité dans notre jeunesse peuvent encoder notre bouche de telle sorte que lorsque nous voulons exprimer de nouveau notre vérité une fois adulte, nos lèvres ne se souviennent plus comment faire. Vous retrouvez-vous dans cette expérience de sentir monter une émotion intense en vous en compagnie de quelqu'un qui vous aime profondément et veut vous aider, mais lorsque vous essayez de parler, votre gorge se serre, votre langue est lourde comme le plomb et vos lèvres ne répondent apparemment plus ? Vous avez les mots en tête mais lorsque vous essayez de les dire, les sons ne sortent pas ?

Nous avons besoin les uns des autres. Il faut nous regrouper et avoir des conversations authentiques où nous pouvons refaire connaissance avec notre voix, avec les mots de notre cœur, avec compassion et tendresse, dans un milieu sécuritaire et encourageant. En nous voyant les uns les autres avec un amour inconditionnel, nous sommes capables de laisser nos paroles faire leur chemin jusqu'à l'expression et ainsi « reconfigurer » notre instrument de communication.

Il faut choisir nos paroles avec sagesse et intégrité parce que nos mots créent notre réalité. Il convient de se poser des questions comme : « Les mots que j'emploie reflètent-ils la personne que je suis vraiment ou celle que je pense que je devrais être ? Mes paroles reflètent-elles un soi conditionné qui m'a maintenu jusqu'ici dans la petitesse et dont je suis prêt à me défaire ? Les paroles que je prononce sont-elles *mes* paroles ou appartiennent-elles à quelqu'un d'autre qui vit dans ma tête ou revient du passé ? »

Il faut du courage pour exprimer notre vérité : le courage d'admettre l'histoire, l'émotion ou l'évènement du passé qui s'agite dans notre corps, le courage de suivre cette impulsion et de lui donner corps dans le monde. Associer le son à notre vérité devant témoins nous autorise et nous encourage à faire face à l'inconnu, à parler de nos rêves et à avancer en territoire inconnu, en ayant confiance que nous sommes soutenus et en sécurité. Grâce à ce geste pour exprimer notre vérité « réelle » par notre voix, tout notre organisme se réinitialise avec cette nouvelle information. En un instant, tout peut changer en nous : nos cellules, nos croyances, nos pensées et notre sentiment de capacité, d'identité et de sécurité.

Nous sommes des êtres sociaux. Nous sommes naturellement conçus pour partager nos sentiments et nos expériences avec les autres, que nous soyons introvertis ou extravertis. Nous voulons communiquer comme nos organes communiquent les uns avec les autres pour fonctionner, grandir et survivre le mieux possible.

Quand je m'exprime, je fais un choix. Je sème une graine d'intention. Si nous voulons que nos vies changent, nous devrions penser à changer nos conversations.

Pour cela, ma mère a été mon plus grand maître. Chaque fois que je suis avec elle, j'obtiens d'avoir une conversation nouvelle. Je suis capable de communiquer avec authenticité avec la personne avec qui la communication a été *le plus* difficile. À mesure que la tendresse qu'elle a pour elle-même grandit, j'ai avec elle des conversations qui n'auraient jamais été possibles avant. Et je découvre des aspects de moi que je n'avais pas encore découverts. Ma mère est un cadeau pour moi.

Voici un détail que vous pouvez facilement changer dans votre langage et qui aura une grande influence sur votre sentiment de pouvoir personnel : ne commencez pas vos phrases par *je dois*… Quand nous disons *je dois faire ceci* ou *je dois être comme cela*, nous sous-entendons que nous sommes soumis à un facteur extérieur. Si nous disons « je dois aller travailler ce matin » mais que nous n'en avons pas envie, cela nous permet de nous délester de notre responsabilité sur le « travail », notre employeur ou notre situation quand en fait, nous sommes celui qui a créé la situation. Cette formulation nous sépare de la décision que nous, et nous seulement, avons à prendre, consciemment ou inconsciemment.

Au lieu de dire *je dois aller travailler*, essayez de dire *je veux aller travailler*. Même si vous n'en avez pas envie en le disant, quelque part en cours de route, vous avez voulu cet emploi. Si vous ne ressentez plus la même chose, faites face à la réalité et regardez « pourquoi » et « ce que » vous pouvez changer. Quand vous le ferez, vous arriverez à une autre croisée des chemins. Vous vous rendrez peut-être compte que cet emploi constitue la meilleure option pour vous pour le moment et vous choisirez de continuer d'aller travailler, du moins pour l'instant. De cette manière, vous exprimez votre volonté. Vous gagnez en pouvoir en sachant que c'est vous qui avez pris cette décision et que vous n'êtes pas à la merci des facteurs extérieurs ni la victime d'un monde injuste.

Chaque fois que vous dites *je dois*, changez ces deux mots pour *je veux*. Voyez la différence dans ce que vous ressentez et où cela vous mène dans l'exploration de vos désirs. Assumez vos choix. Plus vous le faites, plus vous verrez les portes s'ouvrir. Sur le plan de l'énergie, l'univers vous aidera et vous verra comme un participant activement aux commandes de son destin.

Vous êtes l'univers, le créateur de tout. Quand vous vous souvenez de cette vérité jusqu'au cœur, vous en faites de plus en plus l'expérience sur cette terre à cette époque. Vous êtes le créateur conscient.

CHAPITRE 36

Une seule source,
différents points d'entrée

―――◦)X(◦――――

Richard, un médecin, avait lu tous les livres qu'il pouvait sur le sujet de la vie spirituelle. C'était un homme très intelligent et il y avait très peu de choses qu'il ne saisissait pas intellectuellement. Il pouvait comprendre les arcanes de la physique quantique et la complexité des anciens textes védiques sans problème. Pourtant, il était profondément malheureux. Il avait plusieurs dépendances, avait joué et perdu toutes ses économies et fumait comme un pompier; lorsque les choses devenaient difficiles à la maison, il s'enfuyait en voiture et roulait durant des jours. Il ne comprenait pas comment il se faisait qu'avec toutes les vérités spirituelles qu'il avait étudiées, sa vie ne soit pas paisible ou satisfaisante. Il avait décidé qu'il ne pouvait plus vivre comme cela.

Quand il est venu me consulter la première fois, nous avons parlé d'entrer en contact avec les émotions refoulées dans son corps. C'était un concept entièrement nouveau pour lui. Il croyait que parler de ses émotions de façon logique équivalait à les « travailler ». Au cours de son premier atelier de fin de semaine, nous avons plongé profondément dans *ma* façon de « travailler » : déterminer où vit l'émotion dans le corps et rester présent au processus et au malaise. Il s'est pratiquement enfui vers la sortie ! Mais petit à petit, après quelques ateliers et quelques sessions d'accompagnement de plus, il a réussi à entrer en contact avec le corps émotionnel qui vivait juste en-dessous de son brillant cerveau. Il a appris à faire confiance au reste de son corps et en s'occupant de ses émotions, il a commencé à entrer dans la paix intérieure qu'il désirait si ardemment. Il a compris la différence entre savoir et sagesse.

Il y a différents points d'entrée au cheminement spirituel et ils sont tous valides à leur manière. Pour Richard, c'était le savoir et l'intellect. Comme la spiritualité est très subjective, il est important d'admettre qu'il n'y a pas de bonne ou de mauvaise voie et aussi qu'une vérité n'en valide ou n'en invalide pas une autre. Nous rentrons tous à la maison, peu importe comment nous nous y prenons. Donc, je vous en prie, soyez bon, attentionné et généreux à votre égard et à l'égard de vos camarades de quête.

Il faut nous fier à notre expérience unique tout en ne cédant pas à la tentation de chercher la validation auprès des autres ou de compromettre notre vérité personnelle pour valider celle d'un autre. Chacun doit le faire pour lui-même.

Le plus souvent, nous nous engageons sur le chemin grâce à une source extérieure. Nous consultons un clairvoyant doué et nous ouvrons notre esprit à des niveaux de conscience plus profonds. Nous recevons un traitement de Reiki et nous nous sentons mieux, différents. Nous faisons la connaissance d'un gourou et l'amour que nous ressentons nous fait nous consacrer à une vie spirituelle. Nous lisons un livre qui change complètement notre façon de penser. Nous avons une conversation avec quelqu'un qui nous inspire de chercher plus loin. Nous participons à un atelier qui modifie notre façon de vivre. Nous perdons quelqu'un de cher et cela nous pousse à reconsidérer ce qui fait que notre vie vaut la peine d'être vécue.

Bien que les premiers pas soient importants, le secret consiste à continuer d'avancer en soi sur la voie, à ramener le cheminement dans le corps, à trouver la validation en soi. C'est lorsque nous essayons de nous cantonner à un dogme conditionné par l'extérieur et que nous nous attachons aux histoires et aux personnages entourant la vérité que nous finissons par nous enliser, en donnant du sens et du pouvoir à quelque chose d'extérieur. En fin de compte, la vérité est une expérience intérieure.

Mon travail comme guide et animatrice m'a rendue tout à fait consciente du fait qu'il n'y a jamais deux personnes à la même place dans leur cheminement. Je ne dis pas cela dans le sens d'une course ou d'une hiérarchie spirituelle : c'est plus une appréciation des différents points d'entrée qui jalonnent le chemin et du fait que nous allons tous dans la même direction en empruntant juste des chemins différents pour nous rendre. Je partagerai encore quelques anecdotes tirées de ma pratique pour illustrer ce que je veux dire.

Patricia avait choisi de consacrer sa vie à aider les autres pour vivre une vie spirituelle. Elle avait été élevée dans la foi catholique et on lui avait appris que l'abnégation et le service aux nécessiteux étaient la bonne chose à faire. « Aider les autres » était l'identité qu'elle avait adoptée très tôt comme aînée ayant aidé sa mère à prendre soin du reste de sa fratrie. Cette identité l'empêchait de reconnaître ses propres besoins, lesquels étaient rarement comblés. Comme son image de soi et son estime personnelle avaient longtemps été intriquées dans le service aux autres, elle a vécu une crise existentielle quand les personnes qu'elle aidait n'ont plus été là ou n'ont plus eu besoin d'elle. Elle était malheureuse et déprimée et elle avait du mal à trouver un sens à sa vie. Le travail sur elle-même qui la mènerait à une vie plus spirituelle incluait de s'autoriser à découvrir ses besoins et ses passions. Elle devait travailler consciemment à prendre soin d'elle-même.

Dans le cas de **Janet**, le concept de spiritualité avait été vécu d'un point de vue ésotérique seulement. Cela s'était traduit par beaucoup de voyages chamaniques et d'ingestion de substances hallucinogènes comme l'ayahuasca. Le sentiment de béatitude que les dimensions supérieures offraient était très attirant, mais Janet avait du mal à intégrer ces expériences à sa vie ordinaire. Les rituels chamaniques souvent répétés et l'expérimentation avec différentes substances psychotropes avaient eu pour résultat que sa conscience était ancrée dans une autre dimension, pas dans son corps ou ici sur terre. Ces expériences n'ayant jamais été intégrées à sa vie ou à son corps émotionnel ni physique, elle avait du mal à fonctionner et elle avait besoin d'aide pour des tâches basiques comme gérer sa carrière et ses relations interpersonnelles. Après que 2012, année hautement anticipée, soit arrivée et repartie, Janet m'a confié : « Je n'avais rien planifié après 2012. J'étais certaine que nous aurions tous ascensionnés et que nous vivrions comme des êtres spirituels ici sur Terre. À présent, j'ai besoin d'aide pour vivre dans ce monde. » Pour Janet, son travail pour intégrer les dimensions spirituelles à sa vie incluait de ressentir pleinement la douleur et les traumatismes qui l'avaient empêchée d'habiter son corps au départ.

C'était la même chose pour **Anthony**. Les traumatismes physiques et émotionnels de sa vie passée avaient été tellement importants que lorsqu'il avait découvert les dimensions éthériques, il s'était habitué à vivre en dehors de son corps. Au fil des ans, il avait commencé à avoir des douleurs chroniques persistantes et quand il est venu me consulter, son corps lui faisait tellement mal qu'il a fallu de nombreuses séances pour qu'il revienne dans son corps émotionnel et physique. Mais grâce à d'autres formes de travail corporel comme l'ostéopathie, à des traitements de médecine chinoise traditionnelle et à une thérapie verbale, il a vu la douleur diminuer petit à petit.

Je crois que maints problèmes sont créés quand la spiritualité est considérée comme une expérience extérieure au corps et à l'être. Le secret consiste à ramener le processus à l'intérieur du corps. Ce n'est pas toujours agréable mais c'est la voie menant à une spiritualité incarnée, une spiritualité ancrée, sincère, authentique, qui nous met en contact avec notre pouvoir.

Eckhart Tolle écrit souvent sur l'extrême importance d'être sensible au corps intérieur en explorant la vie spirituelle. Dans son livre paru en 2014, *Le pouvoir du moment présent*, il dit : « Chose certaine, personne n'a jamais connu l'éveil spirituel en niant le corps, en se battant contre lui ou en sortant de lui. Même si l'expérience de sortie du corps peut s'avérer fascinante et vous donner un aperçu fugitif de ce qu'est la libération de la forme matérielle, vous devrez en fin de compte toujours y revenir, car c'est dans cet "espace" que le travail fondamental de la transformation s'effectue, et non pas loin de lui. » Comme beaucoup de mes clients, une fois que je suis devenue honnête avec les émotions habitant mon corps, que j'ai commencé à en parler et que je me suis permise d'être vulnérable, j'ai commencé à vraiment vivre ouvertement une spiritualité intégrée. J'ai touché durablement à une paix intérieure plus profonde.

Mon expérience personnelle de ce travail intérieur a été anarchique. Il faut plonger dans le chaos et laisser le corps faire son travail. La transformation ne se fait pas de façon linéaire ou logique. Un peu comme la substance visqueuse dans une chrysalide, c'est un fouillis d'émotions refoulées, de schémas limitatifs, d'inconfort, de vulnérabilité, de champs énergétiques, de chakras, de mémoires cellulaires, de guérison quantique et plus ! Il faut avoir la foi parce que la guérison se fait plus vite et plus efficacement que ce que peut comprendre l'intellect. Les enjeux sont élevés et la récompense vaut le risque encouru.

Je crois que la spiritualité n'est pas seulement censée être vécue au sommet d'une montagne ou en planant de béatitude dans un ashram, ou être apprise uniquement dans les textes et les sermons. Elle est conçue pour être incarnée seconde après seconde, dans notre vie quotidienne, avec la cuisine en désordre pour envoyer les enfants à l'école le matin, autour de la table avec notre belle-famille pour le repas de Noël, avec cette douleur au dos qui nous tourmente depuis des années, avec la culpabilité et la honte qui prennent parfois les commandes de nos pensées et exigent d'être ressenties.

La spiritualité est la vie. Tout ce qui vit est spirituel. Le voyage a pour but de nous rencontrer. Une spiritualité incarnée se vit jusqu'à la moelle : dans notre corps, notre esprit, nos paroles, nos actions et tous les trucs embrouillés qui sont là.

Sois, Ressens, Pense, Agis :

Sois maintenant avec l'âme dans le corps,

Ressens maintenant l'âme par le corps,

Laisse ton âme et ton corps *Penser,*

Laisse ton âme et ton corps *Agir.*

La première étape est l'acceptation. L'acceptation de notre situation exacte en ce moment même. L'acceptation de l'état de notre corps, l'acceptation de l'état de notre mental, l'acceptation de l'état de notre vie, avec une honnêteté audacieuse. Une spiritualité incarnée commence par l'acceptation intime, sincère et immédiate de toutes les parties de nous.

CHAPITRE 37

S'aimer, c'est servir

~◦◦~

Nous savons tous à quel point on se sent bien en contribuant à soulager la souffrance d'une autre personne. En fait, cela peut nous faire vivre des sentiments de profonde communion et de profonde unité. Mais pour être capable de donner aux autres, nous devons nous rappeler ce que c'est que de nous aimer nous-même et de prendre soin de notre corps, notre esprit et notre cœur.

Comme individus, nous comptons vraiment. La religion traditionnelle n'a pas nécessairement renforcé cette idée mais il se trouve que lorsque nous savons que nous comptons profondément comme individu et que nous le savons jusque dans la moelle de nos os, nous pouvons servir le monde avec nos dons plus efficacement qu'en sacrifiant les désirs de notre cœur.

J'en suis venue à savoir avec une réelle certitude que si nous ne prenons pas soin de notre cœur et de nous en premier, si nous n'aimons pas notre cœur et si nous ne nous aimons pas en premier, nous ne pouvons prendre soin des autres et les aimer de manière durable, saine et profonde. La qualité de nos relations dépend directement de la qualité de la relation que nous avons avec nous-même.

Quand nous sommes heureux, c'est contagieux. C'est inspirant pour les autres. Cela pourra peut-être sembler égoïste de considérer la relation que nous avons avec nous-même comme la relation primordiale de notre vie, mais je ne parle pas ici de flatter et de valider l'ego. Je parle d'adoucir notre cœur et notre mental souvent prompt à juger nos émotions, nos sentiments, nos expériences passées et notre situation. Je parle de vous traiter comme vous traiteriez un enfant précieux sous votre garde. Cette relation bienveillante avec notre être profond colore toutes nos autres relations. Elle colore non seulement notre sentiment de bonheur mais influence aussi le bonheur de ceux qui nous entourent.

C'est de l'amour-propre de s'occuper de notre relation primordiale avec nous-même. C'est une démonstration de profonde gratitude et de profonde appréciation pour la vie qui circule en nous. Cela n'enlève rien aux autres. Au contraire, c'est inspirant. Les fondateurs des grandes religions se sont retrouvés seuls face à leurs besoins et à leur souffrance, même si cela voulait dire qu'ils devraient quitter leurs familles. Bouddha est resté des années reclus dans la forêt à écouter cette certitude intérieure et Jésus a quitté sa famille et sa communauté pour passer 40 jours dans le désert à confronter ses démons. Ils ont été obligés de travailler sur leurs émotions eux aussi pour être fidèles à leur cœur, leur âme et leur raison de vivre ! En retour, ils ont aidé un nombre incalculable d'individus à trouver le chemin de la paix et leur message continue de toucher l'humanité. Ils ne sont pas nés illuminés. Ce qu'ils désiraient ardemment pour le monde, ils ont d'abord dû le trouver en eux-mêmes.

Il y a moyen que tous les vrais besoins soient comblés. Personne n'a à être privé d'amour pour qu'un autre en reçoive. Cette forme d'amour et de communion, cet amour de l'âme, est un puits sans fond !

Parfois, le désir de s'occuper du bonheur d'un autre plutôt que du nôtre cache notre peur de nous étudier et d'examiner nos désirs personnels. C'est beaucoup plus facile de s'occuper des besoins d'un autre. S'occuper des besoins de l'autre peut être un moyen de nous distraire de notre propre mécontentement. Nous sommes tous de meilleurs parents, de meilleurs amis, de meilleurs soignants, de meilleurs amoureux et de meilleurs chefs, si nous prenons le temps de regarder notre inconfort, de travailler à guérir nos émotions et de nourrir cette relation primordiale.

L'amour-propre est une manifestation d'amour pour nos familles, nos collectivités et notre monde. C'est une démonstration de gratitude pour la vie qui nous a été donnée et le cadeau incroyable de pouvoir créer la réalité que nous voulons.

Une fois nos besoins primaires comblés, la responsabilité nous revient d'approfondir notre sentiment de valeur et d'ancrer dans notre for intérieur un sentiment inébranlable de sécurité. Ainsi, nous pouvons *être-ressentir-penser-agir* un nouveau (ancien) moyen de servir l'humanité, un moyen profondément relié aux besoins de notre cœur et au dessein de notre âme et donc, aux besoins au cœur de l'humanité, de l'âme collective. Ainsi, servir devient une façon de vivre. Et cela commence par le sentiment de notre propre valeur.

Nous sommes nombreux pour qui croire que nous valons notre pesant d'or, que nous sommes digne d'amour, est probablement l'étape la plus ardue du cheminement spirituel. On nous a enseigné que la chose bonne et honorable à faire était de faire passer les autres en premier. Mais, ce qu'on ne nous a pas appris, c'est que sacrifier notre joie et notre accomplissement n'est utile à personne finalement. Prendre soin de nous, demander de l'aide, accepter de l'aide et parler de nos émotions n'est pas de l'égoïsme. C'est une partie importante de l'art d'être un être humain pleinement engagé qui peut vraiment être utile aux autres. Prendre soin de soi n'est pas de la vanité ou un caprice de l'ego. C'est une expression de profonde gratitude pour la vie qui circule en nous.

Combien de temps pouvons-nous être utile si nous sommes fatigué, malade ou débordé ? Combien de temps notre santé mentale, émotionnelle et physique nous soutiendra-t-elle et nous fournira-t-elle une énergie inépuisable si nous ne sommes pas bon et généreux avec notre corps, notre esprit et notre cœur ? Si nous ne prenons pas le temps de nous guérir et d'être en contact avec notre paix et notre joie intérieures, nous tombons dans un cercle vicieux dont nous ne pouvons plus sortir. La vérité est que les autres tireront bien meilleur profit de notre disposition si nous prenons soin de nous que si nous sommes des martyrs.

J'aime la métaphore des masques à oxygène en avion. Si vous ne mettiez pas votre masque en premier, vous ne pourriez pas aider votre enfant ou la personne qui dépend de vous. Si vous voulez que quelqu'un s'aime profondément, le meilleur moyen de lui communiquer cette idée consiste à être un modèle. Vous aimez les autres quand vous montrez comment vous vous aimez par l'exemple de votre état d'être, de vos paroles et de vos comportements. Voilà le véritable amour. Il est profond et ancré, fort et ouvert. Il est universel et illimité.

Quand nous prenons l'habitude de nous aimer avec un amour divin et que nous orientons cette puissante énergie en direction de notre cœur, nous accédons à un approvisionnement illimité d'énergie spirituelle. L'énergie spirituelle ne tarit jamais. Nous pouvons donner beaucoup plus aux autres si nous donnons à partir d'un réservoir plein. En puisant à notre propre puits sans fond d'amour et d'énergie spirituelle, nous pouvons écouter l'autre et être beaucoup plus présent que si nous étions malade, fatigué, hors circuit, désenchanté et blasé.

L'amour-propre, c'est vivre en gardant notre attention tournée vers l'intérieur de notre corps, seconde après seconde, en nourrissant notre organisme de longues respirations profondes. C'est nous réserver un temps de solitude chaque jour sans exception pour respirer, être en silence, prier ou méditer. C'est dire : « Je sais que je guéris et que je me sens plus ancré quand je médite. C'est précieux pour moi. C'est l'état de mon être intérieur qui m'importe le plus. »

L'amour-propre, c'est dire à la fillette ou au garçon blessé d'hier qui vit en nous aujourd'hui : « Je suis là. Je te vois. Je veille sur toi. Nous sommes ensemble dans cette affaire. De quoi as-tu besoin ? Comment puis-je t'aider ? » Quand notre genou ou notre dos nous fait mal, l'amour-propre dit : « Hé là, je te vois. Ça fait mal, n'est-ce pas ? Eh bien, je suis là. Dis-moi-en plus. De quoi as-tu besoin ? » Quand nous partons en vrille incontrôlable et que nous nous laissons emporter par la frustration ou le sentiment d'être complètement perdu, nous pouvons faire la même chose. Nous pouvons nous parler comme ceci : « Hé, toi. Je vois que tu te sens perdu. Je suis vraiment désolé que ça t'arrive. Comment puis-je t'aider ? De quoi as-tu besoin, là, tout de suite ? »

L'amour-propre, c'est prendre du recul après avoir fait quelque chose que nous regrettons et avoir de la compassion et de la miséricorde à notre égard. C'est dire : « Je suis humain, j'ai commis une erreur, je fais de mon mieux. La prochaine fois, je saurai être plus présent à mon état intérieur. »

L'amour-propre, c'est choisir les relations que nous voulons et nous détacher de celles qui ne sont pas bonnes pour nous. C'est dire : « C'est une priorité pour moi de vivre mon âme et de m'exprimer avec authenticité, et je veux m'entourer de personnes qui m'encouragent. » Quand une situation passe de l'inconfort à la violence, partir est un geste d'amour-propre. C'est dire : « Je compte. Ma sécurité émotionnelle est une priorité en ce moment. Je ne veux pas être obligé de me fermer et de m'endurcir pour pouvoir rester dans cette situation. Compromettre ma capacité à ressentir pleinement mon cœur n'en vaut pas la peine.» Nous pouvons tirer notre force de la famille que nous avons choisie : nous pouvons nous aimer assez pour savoir que nous méritons d'être en leur compagnie et que nous sommes tout à fait digne de leur temps et de leur attention.

L'amour-propre, c'est savoir avec qui et à quel moment nous pouvons être vulnérable. Vivre notre âme ne veut pas dire toujours ouvrir notre cœur à tout le monde. Ce n'est pas toujours utile et cela peut parfois même faire plus de tort qu'autre chose. Ouvrir notre cœur avec vulnérabilité et courage aux personnes qui sont capables de nous accueillir là où nous sommes est beaucoup plus encourageant qu'essayer de toucher quelqu'un qui n'est pas capable de nous rencontrer dans un espace d'ouverture et de non-jugement. J'aime reconnaître les moments où exprimer ma vulnérabilité ne contribuera pas à ma croissance. Je suis capable de juger que certaines situations secoueront probablement mon sentiment personnel de sécurité intérieure et je m'éloigne.

Si nous regardons attentivement, nous verrons que nous sommes très souvent violent à notre égard dans notre façon de nous parler en choisissant de croire la voix du mental conditionné, en nous jugeant pour nos choix et en restant dans des situations qui ne sont pas nourricières et encourageantes. Voici quelques questions auxquelles réfléchir. Elles sont conçues pour être posées dans un esprit de curiosité et de découverte de soi, sans jugement.

- Comment est-ce que je me parle ? Observez le ton sur lequel vous vous parlez et les paroles que vous employez dans votre discours mental. Nous ne prenons pas souvent le temps de nous arrêter et d'écouter le soliloque qui tourne en boucle dans notre esprit ; nous sommes tellement habitué au bavardage et à nos réactions automatiques à ce bavardage. Voici un bon exercice : asseyez-vous en silence, faites taire votre esprit une minute ou deux en fixant votre attention sur l'intérieur de votre corps et attendez qu'une pensée surgisse. Quand elle monte, notez-la sur papier. Faites taire votre mental encore une fois avec votre respiration et votre attention dans votre corps, puis notez sur papier la prochaine pensée qui se présente. Après 20 pensées, arrêtez-vous. Relisez-vous et notez les thèmes et le ton de vos pensées. Comment vous parlez-vous ? Y a-t-il un motif récurrent ? Y a-t-il une croyance cachée derrière ces pensées que « je ne suis pas digne, je ne suis pas assez bien ou j'échouerai toujours » ? Enquêtez avec une curiosité joyeuse et restez présent aux sentiments que les questions font naître dans votre corps. Respirez dans ces sentiments et observez leur mouvement jusqu'à ce que vous vous sentiez plus à l'aise. Voilà en quoi consiste s'exercer à la bienveillance envers soi.

- À quelle vitesse vous jugez-vous ou vous remettez-vous en question quand quelque chose tourne mal ? Autrement dit, vous autorisez-vous à faire des erreurs ? Nous sommes tellement prompt à nous dénigrer. Nous ne l'exprimerons peut-être pas à haute voix mais observez à quelle vitesse vos pensées se jettent sur le blâme, la culpabilisation ou la honte quand vous avez la perception d'avoir échoué. Observer vos pensées avant de les croire vraiment constitue un bon exercice. Ensuite, vous pouvez vous dire avec un sourire et sans jugement : *Regarde-moi donc être encore dur avec moi. Comme c'est intéressant !* Le simple fait d'observer commence déjà à adoucir les angles des croyances conditionnées. C'est s'exercer à la compassion pour soi.

- Où, dans ma vie, est-ce que je reste dans des conversations, des relations ou des situations destructrices ? Nous nous targuons souvent d'être capable d'en prendre ou d'avoir une bonne écoute, surtout si notre travail consiste à aider les autres. Mais la personne qui abuse est responsable de son comportement, en réalité. Il n'y a aucun doute là-dessus. Même dans ce cas, nous sommes responsable de notre comportement à un moment donné. Quand nous avons le choix de partir et quand nous choisissons de rester dans une situation violente, nous nous maltraitons. Nous ne sommes pas dans l'amour de soi. L'amour de soi consiste à exprimer notre vérité, à exprimer nos besoins, à nous retirer d'une situation et à nous donner de l'espace. Ce n'est pas de la faiblesse. Je constate que c'est surtout fréquent avec les employeurs, les parents, les frères et sœurs et les conjoints, dans ces rapports où nous sentons que nous n'avons pas le choix d'être dans la relation ou de rester de peur de perdre l'amour d'un membre de la famille ou notre sécurité financière. (En général, nous ne fréquentons pas délibérément des brutes.) Êtes-vous capable d'être assez bienveillant pour vous défendre en pareil cas ? Personne ne peut le faire pour vous comme *vous* le pouvez. Cela est plaider sa propre cause.

- Est-ce que je donne la priorité à mon cœur et à mon âme à chaque jour ? C'est maintenant, le temps de votre vie. Pas demain et non, il n'est pas trop tard. Vous n'avez pas manqué le bateau quand vous étiez plus jeune. C'est ce qu'il y a d'étonnant avec notre âme : elle est éternellement là et c'est à nous de nous mettre à son écoute et d'entrer en contact avec elle. Si nous ne le faisons pas, elle sera toujours là, à briller et à attendre avec amour que nous lui prêtions attention quand nous sommes prêt à le faire. C'est comme le soleil dans le poème de Hafiz : « Même après tout ce temps, le soleil ne dit jamais à la terre : "Tu me dois quelque chose." Regardez ce qui arrive avec un amour comme celui-là : il illumine le ciel tout entier. » Que faites-vous chaque jour pour faire une priorité de communier avec votre âme et de l'exprimer ? Méditer, tenir un journal, avoir des conversations authentiques, faire du yoga, courir, chanter, danser, jouer avec vos enfants, respirer consciemment dans tout votre corps ? Comment stimulez-vous votre joie et votre paix au quotidien ? Faites-en une priorité ! Si vous ne le faites pas, qui le fera ? Si ce n'est pas maintenant, alors quand ?

Je résume tout cela aux quatre idées suivantes : acceptation, engagement, patience et amour-propre. L'*acceptation* de toutes les parties de nous – les bonnes, les mauvaises et les affreuses ; l'*engagement* de garder la foi et de ne pas renoncer même quand nous avons l'impression d'avoir fait un grand pas en arrière ; la *patience* de ne pas nous en faire avec le comment et le quand ; et l'*amour-propre* de savoir que nous valons le cheminement. Notre droit de naissance est que nous sommes des créatures d'amour, infinies et créatrices, et que notre corps émotionnel mérite de guérir.

> «*Quand vous aimez ce que vous êtes, plus rien n'est insurmontable, plus rien n'est hors de portée. Quand vous vous aimez véritablement, vous ne vivez plus que par la lumière de votre propre rire et parcourez seulement le sentier de la joie. [...] Cette lumière – cette force unie, ce bonheur, cette gaieté, cet état de joie – se propage à l'humanité entière[11].*»
>
> — RAMTHA

CHAPITRE 38

Vivre sans peur

───❦───

Plus le temps passe, plus nous avons tendance à faire le bilan de notre vie et à évaluer ce que nous avons vécu et accompli. Avons-nous accompli ce que nous avions entrepris de faire ? Avons-nous réalisé nos rêves ? Avons-nous exprimé nos sentiments ou si nous les avons gardés pour nous ? Avons-nous admis nos vrais désirs ou si nous n'en avons pas tenu compte ?

Selon Bronnie Ware, auteure des *Cinq plus grands regrets au moment de la mort*, paru en 2011, nous traversons tous une série d'émotions au cours des six à douze dernières semaines de notre existence. Trop souvent, ces émotions sont teintées de beaucoup de regrets. Ware les résume par les cinq phrases suivantes :

1. Je regrette d'avoir vécu selon ce que l'on attendait de moi et non en fonction de mes aspirations.

2. Je regrette d'avoir travaillé autant au détriment des autres aspects de ma vie.

3. Je regrette de ne pas avoir eu le courage d'exprimer ce que je ressentais.

4. Je regrette de ne pas avoir gardé le contact avec mes amis.

5. Je regrette de ne pas m'être permis d'être plus heureux.

Ces cinq plus grands regrets que rapporte Ware soulignent tous l'importance de se connaître. Si vous ne savez pas qui vous êtes vraiment, comment pouvez-vous avoir une vie authentique ? Si vous ne savez pas ce qui vous rend heureux, comment pouvez-vous vivre plus de bonheur ?

Sachant qu'un jour, vous ferez peut-être le bilan de votre vie et aurez peut-être des regrets, pensez à vous demander maintenant comment vous voulez vous sentir le jour où vous serez face à la mort. Pourquoi êtes-vous ici sur cette terre et dans quel état voulez-vous être à la fin de votre vie, en retournant à votre essence spirituelle intrinsèque ?

Nous pouvons influer sur ce moment en réfléchissant dès maintenant à la question. Imaginez que vous célébrez votre 98ᵉ anniversaire de naissance. Tous vos amis sont là pour vous rendre hommage et célébrer la vie extraordinaire que vous avez commencé à vivre le jour où vous avez décidé de vivre en partant de votre âme. Vous vous remémorez cette journée. Vous vous étiez engagé à ressentir pleinement les dimensions de votre âme et à vivre une vie authentique en contact avec votre cœur. Ce jour-là, vous saviez que ce premier pas vous mènerait où vous êtes à présent, joyeux vieillard satisfait et comblé de 98 ans.

Écoutez attentivement votre cœur. Maintenant. Y a-t-il un rêve que vous caressez et qui ne vous laissera pas en paix ? Y a-t-il des désirs qui demandent à naître ? Votre cœur vous le dira. Fiez-vous à ce qu'il dit. Faites-vous confiance. Quel est le rêve qui est, selon ce que vous essayez peut-être de vous faire croire, impossible mais qui continue de refaire surface ? Quand vous visualisez ce rêve en imagination, votre cœur déborde-t-il de joie et d'amour ?

> *« Si l'on avance hardiment dans la direction de ses rêves,*
> *et s'efforce de vivre la vie qu'on s'est imaginée,*
> *on sera payé de succès inattendu en temps ordinaire. »*
>
> — HENRY DAVID THOREAU

Ce qui mobilise notre attention prendra de l'expansion. Avancer avec assurance en direction du rêve de notre âme, suivre les pierres blanches de nos expériences transcendantes et être attentif aux métaphores en cours de route nous conduira à ce rêve – pas de la manière et selon l'échéancier que nous imaginons mais de manière imprévisible.

Vivre de cette manière, c'est vivre sans peur. Il faut du courage pour avancer sur le chemin de la guérison et devenir tout ce que nous pouvons être. C'est parfois difficile et on peut se sentir seul. Une fois que nous nous sommes engagé et avant que notre communauté de choix apparaisse, nous restons souvent seul avec la vérité de ce que nous savons. Nous devons avoir confiance que même si notre intellect ne peut pas voir en entier le chemin qui s'annonce, même si personne n'est apparemment là pour nous, le chemin est là et nous sommes soutenu. Ce genre de confiance nous demande de conquérir notre peur de l'inconnu et notre peur du jugement des autres et d'exprimer avec audace et sans retenue la vérité de notre cœur. Le mot *courage* peut sembler dépourvu de spiritualité mais dans son premier livre, Brené Brown insiste sur son étymologie :

Le courage est au cœur de tout cela. La racine du mot « courage » est *cor* – le mot latin pour « cœur ». Sous sa forme la plus ancienne, le mot « courage » signifiait « s'exprimer en ouvrant son cœur ». Avec le temps, cette définition a changé, et aujourd'hui on associe le courage à des faits héroïques. Mais selon moi, cette définition échoue à reconnaître la force intérieure et le niveau d'engagement nécessaires pour parler honnêtement et ouvertement de soi et de ses expériences – bonnes ou mauvaises. Parler du fond du cœur est ce que je crois être le « courage ordinaire[12] ».

Il y avait des fleurs jaunes au chevet du lit d'hôpital de mon grand-père et par la suite autour de sa tombe. C'est mon tout premier souvenir. J'avais quatre ans. Nous avions fait le long trajet en voiture sur la rive sud du fleuve Saint-Laurent pour être avec lui dans ses derniers jours. Quand je l'ai vu, j'étais joyeuse. Je ne me rappelle pas m'être sentie triste. J'étais heureuse d'être avec lui. Quoique j'aie su qu'il allait mourir, j'étais excitée à l'idée du voyage qui l'attendait, même si je ne le comprenais pas. C'était un gros contraste avec l'humeur générale dans la chambre. L'énergie était déroutante.

Mon père et sa fratrie étaient à l'évidence très tristes mais ce n'était pas le genre de tristesse à laquelle j'étais habituée. Je me souviens que les paroles prononcées par les adultes autour de moi ne correspondaient pas à ce qu'ils ressentaient intérieurement. Aujourd'hui, je suis à même de comprendre qu'il y avait une dissonance entre ce qu'ils ressentaient, ce que j'étais capable de percevoir et de retrouver comme vérité en moi et leur façon de se parler entre eux et de s'adresser à moi. Tout cela m'apparaissait comme un mensonge. C'est là que j'ai été consciente pour la première fois que j'étais séparée des autres, ce que Jean-Paul Sartre appelle *l'autre*.

Pourquoi cet évènement est-il mon premier souvenir ? Qu'est-ce qui fait qu'un souvenir est le premier ? Je me demande si l'intensité des émotions autour de moi ne serait pas un facteur. Je me demande si notre première conscience de nous comme individu séparé, la conscience de notre « altérité », n'est pas ce qui crée notre premier souvenir. Parce qu'avant cet incident, je ne crois pas que j'avais eu besoin de me préoccuper de la manière dont les autres vivaient. Mais lorsque cette dissonance entre paroles et sentiments s'est imposée à moi, j'ai eu l'occasion de voir en dehors de moi une vérité et une perspective autres que les miennes. Ce jour-là, j'ai inconsciemment décidé que la vérité de mon expérience subjective était ouverte au débat. Et une croyance limitative est née. Vous connaissez la suite de l'histoire !

Notre vérité n'est pas ouverte au débat. Elle est non négociable et n'a pas besoin de justification d'aucune sorte. Notre vérité est notre façon précise de faire l'expérience kinesthésique et émotionnelle de nos souvenirs, de notre moment présent et de toutes nos projections et nos peurs face à l'avenir. Quand nous ouvrons notre vérité au débat, nous montons dans notre tête et nous nous fermons à la guérison, aux révélations et à la créativité. Nous perdons contact avec notre pouvoir et notre force spirituelle. Nous impliquons une source extérieure dans la discussion, une voix qui au départ a bouleversé le schéma.

Plus qu'à aucun autre moment de l'Histoire, nous sommes invités à nous révéler pleinement dans notre corps et notre vie et à avoir le courage de vivre d'une manière qui sonne vraie pour notre cœur tout en partageant nos peurs, nos émotions, notre créativité et notre expansion spirituelle avec le monde de diverses manières, grandes et petites.

Vivre sans peur veut dire exemplifier une vie spirituelle plutôt que prêcher sur le sujet. Il y a quelques années, j'ai eu le privilège et la joie de faire la connaissance du docteur David Simon, cofondateur du centre Chopra, décédé en 2012. David était une âme douce et aimante, capable de dissiper le jugement et la peur en très peu de mots. Il avait l'énergie d'un vieux sage assis au sommet d'une montagne tout en vivant pourtant tout à fait dans ce monde. Il a vécu comme il l'a enseigné jusqu'à la toute fin de sa vie, sans jamais laisser la peur de la mort de son corps venir à sa conscience perturber sa force et sa conviction intérieure. Je sais qu'il a aidé beaucoup de gens dans la salle de cours le jour où il a répondu à cette question d'une participante : «Chaque fois que je rentre à la maison après ces grandes expériences d'ouverture, ça ne va jamais bien. J'essaie d'expliquer ce qui s'est passé à mon mari, ce que ça m'a fait vivre. La plupart du temps, je n'arrive pas à trouver les mots pour décrire l'expérience. Au lieu d'être ouvert et compréhensif, il se ferme et on dirait qu'il se sent menacé par ma nouvelle liberté intérieure. Quand j'ai à nouveau l'occasion d'assister à un autre atelier, il n'est pas content. Ma question est : comment j'explique aux gens que j'aime ce qui se passe dans ces cours, merde, et comment je peux revenir en douceur dans ma famille ?»

Je m'étais posé la même question bien des fois. Quand j'ai commencé mon travail de guérison, j'avais du mal à intégrer ce que j'étais en train d'apprendre à ma vie. J'avais toujours l'impression d'un combat entre deux mondes apparemment distincts : ma vie spirituelle et ma «vraie» vie.

La réponse de David a résumé le tout avec une telle simplicité. «Demain, quand vous rentrez chez vous, la toute première chose que vous faites après avoir ouvert la porte et déposé vos bagages, c'est aller trouver votre mari et lui faire tendrement l'amour. Il va tout comprendre et il va vous laisser revenir chaque fois que vous voulez, je vous le promets.»

Quel meilleur moyen d'illustrer le profond amour divin que vous vivez que de le mettre en pratique. Que d'*être* cet amour. Il faut du courage pour choisir d'être amour plutôt que d'avoir raison dans une dispute ; entrer en contact avec l'autre en partant du cœur a plus d'importance qu'avoir raison ou que voir nos pensées validées. Dans le doute, choisissez l'amour. Toujours. L'amour est toujours la réponse.

À tout moment, vous obtenez de choisir de laisser votre cœur et votre âme parler en votre nom, s'exprimer à travers vous. Quand vous le faites, que vous restez dans les conversations difficiles et que vous respirez dans l'inconfort de vous montrer vulnérable à vos yeux ou aux yeux d'un autre, vous pratiquez l'intégrité. Vous intégrez tous vos morceaux éparpillés et vous réunissez votre monde intérieur et votre monde extérieur. Vous rendez votre esprit « réel » et vous pouvez, comme tout le monde autour, en être témoin et le vivre. Vous incarnez votre spiritualité. Vous montrez avec audace ce que veut dire vivre en harmonie avec son âme, ses émotions, ses pensées, ses paroles et ses actes. Vous devenez un catalyseur pour le changement.

ÉPILOGUE

Trouver le père

« Est-ce qu'on peut en cueillir ? »

Comment dire non à Wayne Dyer ? Nous nous rangeons sur l'accotement de l'autoroute transcanadienne. Je m'inquiète que ce soit trop risqué. Je dis à Paul de ne pas bouger, que nous pouvons trouver un autre moyen.

« Il ne peut rien arriver de mal, Anne, je suis avec Wayne Dyer ! »

« C'est juste, dit Wayne, du siège passager. De toute façon, tu es éternel ! »

Pendant que les camions de marchandises filent à côté de nous à toute vitesse, Paul esquive la circulation sur quatre voies, franchit les buissons, escalade un lilas et rapporte une brassée de branches à Wayne.

C'est la fin mai 2015 et Paul et moi avons été chercher Wayne et Maya, sa grande amie et assistante personnelle de longue date à Ottawa pour les ramener à Montréal, puis à Moncton pour ce qui allait être nos deux derniers évènements ensemble.

Wayne avait remarqué les bosquets de lilas en fleurs le long de l'autoroute. Il nous raconta qu'ils avaient un sens particulier pour lui parce qu'il y en avait dans la rue où il avait grandi à Détroit et ils lui rappelaient sa mère. Il récita même quelques vers du poème *La dernière fois que les lilas fleurirent dans la cour* de Walt Whitman :

La dernière fois que les lilas fleurirent dans la cour,

Et que, dans la nuit à l'ouest, le grand astre,
de bonne heure, baissa sur l'horizon,

J'ai pris le deuil, et je le prendrai de même
à chaque retour du printemps éternel.

Printemps éternel, tu m'apportes une trinité
qui ne change jamais,

Le lilas qui fleurit année après année,
l'astre qui baisse sur l'horizon à l'ouest,

Et la pensée de celui que j'aime[IX].

Ce serait les premiers et les derniers lilas que nous verrions de tout ce long voyage. Une oasis de fleurs dans une mer de pins et de peupliers.

La voiture embaumait et Wayne était heureux. Il a gardé les fleurs dans sa chambre durant tout son séjour à Montréal. Le parfum qui remplissait puissamment la voiture ce jour-là symbolise de façon frappante à mes yeux l'amour divin qui émanait de cet homme.

IX. Walt Whitman, *Feuilles d'herbe*, introd., trad. et notes par Roger Asselineau, éd. Aubier, 1989, p. 351.

Au cours des cinq années qui ont précédé son départ, j'ai eu le privilège d'avoir plusieurs fois l'occasion de passer du temps avec ce maître illuminé et d'apprendre à mieux le connaître. L'impression de le reconnaître, que j'avais ressentie le premier jour de notre rencontre sur Kauai, est devenue de plus en plus profonde et a créé l'espace pour que naissent une relation de mentorat et une belle amitié. J'ai tellement appris de Wayne simplement en étant avec lui. Néanmoins, en me rappelant le temps que nous avons passé ensemble presque un an après son départ, je me rends compte qu'il est passé dans ma vie pour m'aider à guérir ma relation avec le masculin. Laissez-moi vous expliquer.

Cette fin de semaine-là à Montréal, il était prévu que je parle quelques instants de la prémisse de ce livre avant que Wayne entre en scène. J'étais inhabituellement nerveuse – tellement que le stress s'était traduit par un très vilain rhume. Je m'étais déjà adressée à de grands auditoires mais cette fois c'était autre chose. Je présentais ce qui était très sacré pour moi, j'étais très vulnérable *et* pour couronner le tout, je faisais cette présentation devant mon mentor.

Le matin de la présentation, mes émotions étaient en train d'avoir raison de moi. Je sentais un incendie dans mon plexus solaire. Je n'arrivais pas à me rappeler la dernière fois que je m'étais sentie si peu sûre de moi. J'ai médité et je me suis demandé : *Pourquoi ai-je aussi peur ?* En prenant une profonde respiration, j'ai compris que j'avais le grand désir de faire honneur à Wayne. Je cherchais son approbation. Plus j'entrais en contact avec cette vérité en moi, plus je me sentais comme une petite fille voulant à tout prix que son père la voie et reconnaisse sa présence. Je suis restée en contact avec ce sentiment quelques instants. Puis j'ai pris une autre profonde respiration et je suis entrée en contact avec l'énergie de mon père. En expirant, j'ai ressenti de la tristesse. Une très ancienne tristesse, celle d'une petite fille ayant désespérément besoin de l'amour de son père.

Je me suis dit: *Ce sont des blessures avec papa! Je n'en savais rien!*

Dans mes souvenirs d'enfance, mon père était un homme réservé et silencieux, d'une timidité maladive, qui apparaissait toujours en arrière-plan, jamais un acteur actif. Il était éclipsé par la personnalité extravertie, hors du commun, de ma mère. Je ne me rappelle pas que mon père ait pris position pour grand-chose ou qu'il ait eu une opinion quant à notre éducation. Son silence avait pourtant laissé une trace.

J'ai toujours su, au plus profond de mon cœur depuis que je suis très jeune, que mon père croyait assurément en moi et me voyait vraiment comme j'étais en réalité. Je sais maintenant qu'il s'est toujours vu en moi et qu'il me faisait confiance mais que, une fois les dés jetés, il se plierait toujours à la volonté de ma mère. Comme tous les humains, nous avons souvent à faire face à des émotions que nous ne comprenons pas. Comment pouvons-nous soutenir quelqu'un d'autre si nous avons du mal à le faire pour nous? Comment pouvons-nous refléter l'étincelle divine à quelqu'un d'autre si nous ne savons pas comment rendre hommage à la nôtre? Quand j'ai voulu quelqu'un pour défendre qui j'étais, l'impulsion de se taire a été plus forte chez mon père que celle de prendre position, d'exprimer sa vérité.

J'aime profondément mon père. Nous avons une belle relation aujourd'hui, une relation où nous nous soutenons mutuellement dans les cheminements que nous avons choisis. Je sais qu'il m'aime profondément et il me le dit souvent.

Le désir d'être soutenue par le masculin s'est manifesté maintes fois dans ma vie, souvent de manière malsaine, sous forme de drames fabriqués, d'insécurités et de manipulation. Je peux voir aujourd'hui que les insécurités qui montaient, issues du besoin d'être validée, étaient souvent plus fortes que ma capacité à défendre qui je savais être. Cependant, mon corps s'en souvenait et essayait toujours de m'épargner les blessures, cette fois sous forme d'un rhume de trois jours qui risquait de compromettre ma participation à l'évènement.

Plus ces prises de conscience commençaient à déferler en moi, plus je me libérais consciemment de la tristesse, sachant qu'ainsi je m'ancrerais encore plus dans mon être, ma vérité, mon cœur. Chaque expiration faisait de la place à un sentiment de plus en plus grand d'assurance intérieure à mesure que la peur et le besoin d'être validée diminuaient. Je commençais à sentir « le père » en moi par opposition à en dehors de moi – le masculin en moi se manifestait pour s'occuper de la tâche à accomplir, encourageant et aimant.

Quand je suis arrivée au centre de conférences, j'ai vu un homme qui se dirigeait vers moi dans le hall. À ma grande surprise, mon père avait fait trois heures de voiture pour assister à la présentation. Il m'a serrée dans ses bras et je me suis sentie comme une petite fille, en sécurité et aimée. Une autre vague de libération a déferlé en moi tandis qu'il me tenait dans ses bras. Je lui ai donné son billet au premier rang, celui que j'avais réservé au cas où, immédiatement à côté de Wayne.

Ouvrir un évènement pour Wayne Dyer, ce n'est pas du gâteau. Les gens sont là pour le voir, *lui*, et comme parfaite inconnue, je ne disposais que de quelques secondes pour les accrocher et faire bonne impression. J'étais debout derrière le rideau, sur le point de me présenter devant 1 500 personnes, quand Nancy, ma *coach* d'expression orale, sans rien savoir de ma contemplation matinale, m'a murmuré : « Imagine juste que tu es dans les bras de ton père – et parle à partir de cet espace de sécurité et de soutien total. » Alors je suis entrée en scène, soutenue par l'énergie du père en moi et l'énergie de mon père dans la première rangée, avec le sentiment d'être complètement en sécurité et d'avoir les outils pour servir toutes les autres personnes présentes dans la salle.

Le spectacle a été éblouissant. Si vous demandez aux gens présents dans la salle ce jour-là, ils vous diront que Wayne était transcendant, lumineux. Il s'est assis dans le fauteuil et s'est mis à parler comme si nous étions tous réunis dans son salon pour une conversation intime avec un grand maître. C'était un tel cadeau !

Plus tard dans la soirée, à la réception suivant l'évènement, un homme s'est approché de Wayne pour lui offrir un cadeau inhabituel. Il s'appelait Martin et prenait des photos remarquables d'orbes et d'élémentaires. Par ailleurs, il recevait souvent des messages clairs des esprits, y compris des instructions précises concernant ses photos. Participant quelque peu réticent à cette aventure, il en était à mi-parcours de son entreprise pour livrer la photo encadrée d'une entité précise à cinq personnes précises dans le monde.

Au premier coup d'œil, on aurait dit la photographie d'un orbe de lumière encadré dans un triangle de bois, mais c'était beaucoup plus que cela. Le triangle de bois était signé par le docteur Jose Valdivino, entité canalisée par Jean de Dieu, à qui Wayne avait dit devoir la guérison de sa leucémie quelques années plus tôt.

À l'endos du cadre, il y avait une note de la main de Martin qui avait signé en bas en dessinant un papillon bleu. Wayne m'a dit que c'était important. Il avait dit à une personne très importante dans sa vie qu'il communiquerait avec elle après son décès, en lui apparaissant sous la forme d'un papillon bleu. Wayne était frappé par le caractère puissant et important de la photographie même s'il n'était pas vraiment certain de ce qu'il devait en penser. Le lendemain, il a passé plusieurs heures avec Martin à discuter des entités, de la photographie et à essayer de comprendre ce que tout cela signifiait.

Le jour de notre évènement à Moncton, je suis venue retrouver Wayne comme d'habitude dans sa chambre d'hôtel pour notre méditation matinale devant l'orbe. Il avait l'air pâle et fatigué. Il m'a dit qu'il avait eu des sueurs toute la nuit et qu'il avait l'impression que les entités travaillaient sur lui. Il a tout de même donné un autre spectacle incroyable le même soir.

Quelques semaines plus tard, je me suis retrouvée dans un restaurant de Maui avec lui et quelques-uns de ses amis. Nous étions sortis dîner après l'atelier *Writing from the Soul*. Nancy Levin, professeure que j'aime beaucoup, était assise à côté de moi et nous avons commencé à parler du pouvoir de l'ouverture radicale dans notre processus de guérison. Je ne sais pas vraiment comment nous en sommes arrivées à parler des pères, mais j'ai dit à Nancy que je me sentais privilégiée d'avoir un mari affectueux physiquement et qui démontrait son amour à nos enfants parce que je n'avais pas connu cela avec mon père. Je lui ai confié mon désir d'embrasser et d'étreindre plus souvent mon père. Je ne m'étais pas rendu compte que Wayne nous écoutait jusqu'à ce qu'il me regarde comme s'il n'y avait personne d'autre que nous et dise : « Ah, Anne, j'aurais tellement voulu être ton père ! » Il y a eu quelques secondes de silence autour de la table. J'ai alors senti de manière étrange qu'il savait qu'il m'avait aidée à guérir ce jour-là à Montréal.

Deux mois plus tard, son cœur a cessé de battre, envoyant des ondes de choc à travers la planète. Personne n'avait rien vu venir : il était plus en santé qu'il ne l'avait été depuis des années et il débordait tellement de vie.

Je vois encore le message-texte dans ma tête : « As-tu su à propos de Wayne ? » Je peux encore voir sa page Facebook, proliférant soudain de confusion, de questions, d'incrédulité. J'ai commencé à me sentir mal. J'étais certaine que c'était une blague cruelle et que son compte avait été piraté. J'ai téléphoné à Maya. Elle était en larmes et c'est là que j'ai compris, avec un impact qui m'a fait sentir comme si on me broyait les entrailles. Je n'avais pas de point de référence pour pleurer une perte comme celle-là. J'avais mal physiquement.

Nous nous sommes serrés les uns contre les autres, Paul, Olivier, Hanalei et moi, et nous avons pleuré ensemble. Nous l'aimions tous. Mes enfants le connaissaient comme quelqu'un d'exceptionnellement gentil qui transformait l'ennui de l'attente dans les coulisses en vraie farce, foisonnant de blagues, de cascades et de cadeaux. Voir Wayne avec des enfants, c'était voir la grâce en action, l'aboutissement de la quête d'une vie entière de vérités spirituelles révélées dans un état de présence totale, animée d'un esprit enfantin et ludique. Il manquait terriblement à Hanalei ; voilà que disparaissait l'homme qui savait reconnaître une roue bien réussie quand il en voyait une.

Je retenais son souvenir en imagination, rejouant jusqu'à l'obsession les dernières fois où nous avions été ensemble et tous les détails de nos conversations. Je craignais en l'oubliant de le perdre pour de bon. Je me sentais seule dans ma tristesse et pendant un petit moment, j'ai eu l'impression d'avoir perdu ma raison d'être. Je me suis même demandé pourquoi rien ne comptait dans ce travail que nous faisions. Le monde avait été privé de sa lumière la plus éclatante, d'un maître illuminé, à un moment où nous avions le plus besoin de lui. Je sentais que sans lui, il y avait peu d'espoir que le monde guérisse. J'ignorais si je serais capable de maintenir en vie cette étincelle passionnée que j'avais pour la guérison et la réalisation de l'âme s'il n'était pas là pour ouvrir la voie.

Quelques jours plus tard, je me suis réveillée le matin avec ses paroles en tête : *Au lieu de demander « qu'est-ce que j'en retire ? », demande toujours « comment puis-je servir ? »* J'ai commencé à répéter cette phrase en silence et présenté la question à mon cœur en offrande. J'ai senti une ouverture et un sentiment d'expansion dans ma poitrine. J'ai perdu le souffle en sentant une eau vive inonder entièrement mon corps. Il fallait que je laisse aller les images et les dialogues que je conservais dans mon esprit et que j'accueille le sentiment de mon amour pour lui dans mon cœur. Plus je m'autorisais à ressentir cet amour, plus je le sentais me revenir en retour, plus que je ne l'avais jamais senti en méditation avant. J'ai su alors que ce n'était pas les souvenirs qui garderaient Wayne vivant : c'était l'amour entre nous. Exactement comme la nuit du décès de ma grand-mère, j'ai compris que ma relation avec Wayne restait inchangée. Elle s'était en fait intensifiée et ce n'était en réalité que le début de notre travail ensemble. Je ne savais pas quelle forme il prendrait mais ce n'était pas la fin. C'était le début d'un nouveau chapitre et d'une nouvelle aventure.

Je ne peux pas vous dire le nombre de personnes qui m'ont confié avoir vécu des expériences spirituelles et mystiques depuis le départ de Wayne. À mon avis, il est devenu un maître ascensionné et son départ lui a permis de rejoindre encore plus de gens que de son vivant. Il a rendu visite à des amis et à des connaissances dans des rêves, il a été canalisé par des médiums et il est apparu dans une multitude de symboles et de signes. Certains de ces signes étaient tout sauf subtils : il voulait s'assurer que les gens sachent vraiment, sans l'ombre d'un doute, qu'il était présent et disponible pour quiconque voulait se mettre à l'écoute de sa guidance et de son amour. Son énergie de père et de mentor aimant est encore très présente, d'ailleurs.

Depuis le matin où mon cœur s'est adouci, des messages de Wayne ont commencé à apparaître dans ma vie, comme des clins d'œil de l'au-delà m'assurant de sa présence. Particulièrement significatif, un parfum de roses sauvages dans l'air quand il n'y a pas de roses sauvages aux alentours. En effet, Wayne m'avait offert des années plus tôt une petite fiole d'huile essentielle de rose. C'est le seul cadeau tangible que je possède de lui. Il avait l'habitude de traîner une de ces petites fioles dans ses poches et de s'en oindre le cou et la tête.

Il a fallu des mois avant que je ne pleure plus en pensant à lui ou en voyant sa photo. Je ne comprenais pas pourquoi c'était si difficile : je ne l'avais rencontré que quelques années plus tôt. Pourquoi faire mon deuil de lui prenait-il autant de temps ? J'ai dû lâcher prise et me laisser vraiment, pleinement vivre mes sentiments en profondeur et les laisser suivre leur cours. Par certains côtés, cela m'apparaissait stupide et déplacé. Je sais pourtant que beaucoup de gens ont ressenti à peu près la même chose et se sont demandé pourquoi il leur était si douloureux de perdre quelqu'un qu'ils connaissaient à peine, ou n'avaient jamais rencontré dans certains cas. Il est indéniable que Wayne avait atteint une profondeur d'intimité incroyable avec ses lecteurs et ses auditeurs. Quand il est décédé, beaucoup ont eu le sentiment de perdre un ami proche.

Plus j'entrais profondément dans ma méditation et dans mon cœur, plus je pouvais sentir la présence de Wayne et voir que son amour venu de l'au-delà aurait un effet encore plus grand sur ce monde. Au fil du temps, j'ai senti que le voile s'amincissait de plus en plus, comme si je vivais dans une réalité très différente de la précédente. J'avais toujours été soutenue par des guides et des énergies supérieures intérieurement et extérieurement, mais la preuve était maintenant multipliée par dix. C'était comme si Wayne s'assurait encore et encore de me faire savoir qu'il était là pour nous tous de façon claire et concrète.

Je vous parlerai aussi d'une autre série d'évènements syn-chrones très puissants. C'était un dimanche matin de l'hiver 2016 et j'étais à Montréal pour donner une conférence à 11 h 30. Encore une fois, j'étais nerveuse et j'étais tombée malade d'un mauvais rhume quelques jours plus tôt. Juste avant le début de la conférence, j'ai reçu un message-texte de mon amie Rachel avec l'image d'un paquet. Elle était tombée par hasard sur une pile de courrier à mon ancien bureau, maintenant occupé par une massothérapeute qu'elle était venue consulter. Je n'étais pas entrée dans ce building depuis deux ans. J'ai regardé l'image du paquet. Il portait mon nom, l'adresse de mon ancien bureau, l'adresse d'un expéditeur au Texas et un mot griffonné dans le bas : « De Wayne ». Nom de Dieu ! Je n'en croyais pas mes yeux. J'étais terriblement intriguée mais il faudrait que j'attende mon retour pour l'ouvrir.

Je devais parler à 11 h 30. J'étais sur scène quelques minutes avant de commencer et je me sentais nerveuse, alors je suis entrée dans mon cœur et j'ai demandé : *Comment puis-je servir ?* J'ai demandé à Wayne de me guider dans la présentation. Puis j'ai ouvert les yeux et je me suis mise à parler. Je me souviens à peine de ce que j'ai dit. Les mots ont simplement coulé sans effort ; je n'avais jamais été aussi à l'aise sur scène. Après le spectacle, j'ai vu en regardant mes courriels que j'en avais un de Martin. Il disait qu'il avait pensé à moi et à Wayne et qu'il voulait que je le sache. Il m'avait aussi envoyé une capture d'écran de l'heure : 11 h 30 ! Je n'avais pas eu de nouvelles de Martin depuis des mois et il ne savait pas que je parlais à cette conférence. J'ai eu le sentiment que Wayne voulait que je sache qu'il avait entendu ma prière.

À la fin de la journée, j'étais vraiment vidée. Mais comme le programme n'était pas entièrement terminé et que je voulais rester jusqu'à la fin, je me suis excusée une minute et je suis partie en direction des toilettes. En montant l'escalier, j'ai demandé à Wayne de m'envoyer de l'énergie pour que je puisse rester jusqu'à la fin de la journée. Je voulais continuer de rencontrer tous ceux qui se présentaient. J'atteignais le sommet de l'escalier quand j'ai entendu : « Anne Bérubé ? » J'ai levé les yeux : « Je vous ai vu en première partie de Wayne l'an dernier et depuis, je veux vous offrir un traitement pour vous remercier de l'avoir fait venir à Montréal. Avez-vous une demi-heure ? » Elle avait une chaise de réflexologie qui attendait et durant les trente minutes qui ont suivi, j'ai pu me reposer et refaire le plein d'énergie. Tandis que j'étais étendue, je n'arrivais pas à croire à quel point la réponse avait été rapide !

Quand je suis redescendue, j'ai vu que mon père, qui avait été présent dans l'auditoire durant la journée, était en conversation avec une femme qu'il avait rencontrée par hasard à l'évènement. Durant leur échange, ils s'étaient rendu compte qu'ils avaient été assis de chaque côté de Wayne au spectacle de l'année précédente à Montréal ! De fait, mon père avait mentionné une femme assise de l'autre côté de Wayne avec qui celui-ci avait partagé un peu de son huile de rose. Je me suis présentée, le nom de la femme était Rose-Anne. Évidemment. Je leur ai alors raconté à quel point l'huile de rose était symbolique et significative.

Ce soir-là au téléphone, j'ai parlé à Rachel du caractère magique de cette fin de semaine. Elle m'a dit que plus tôt dans la journée, elle s'était sentie poussée à préparer une fiole d'huile de rose pour moi et qu'elle avait l'intention de me l'apporter avec le mystérieux paquet dès mon retour. Elle n'était pas au courant des associations avec l'huile de rose. Je me suis dit : *Ça ne peut pas devenir plus étrange.*

Quand je suis rentrée à la maison, Rachel m'a apporté le mystérieux paquet et l'huile de rose. Elle est restée sur le seuil de la porte tandis que j'ouvrais le paquet. Il contenait un livre et une lettre. Je me suis mise à lire la lettre. Elle venait d'un homme du Texas, Shafeen Ali, qui avait canalisé Wayne à l'automne 2015. Cet homme avait écrit le beau livre *To Be One with God* et reçu par canalisation le conseil de l'envoyer à certaines personnes. Dans cette liste de noms, il y avait le mien. La lettre disait : « Veuillez envoyer cette lettre à ma fille, Anne Bérubé. » Je suis tombée à genoux. Mon cœur débordait d'amour. À part le petit groupe de personnes à dîner ce soir-là sur Maui, personne d'autre n'avait entendu la phrase de Wayne !

J'ai téléphoné à Shafeen et il m'a dit que lorsqu'il avait entendu mon nom, il avait été obligé de demander à Wayne de l'épeler parce qu'il n'avait jamais entendu un nom comme le mien avant. Il connaissait aussi le nom des filles de Wayne et comme je n'en faisais pas partie, il avait été déconcerté et avait dû me chercher sur Google. En trouvant mon nom et une photo de Wayne et moi, il avait demandé à celui-ci :« Est-ce cette Anne-là ? » Wayne avait répondu oui. Shafeen avait donc trouvé mon ancienne adresse sur un site Internet et tenté le coup.

Il n'était pas certain que le paquet se rende jusqu'à moi. Je suppose que Wayne s'est assuré que je l'aurais en guidant Rachel jusqu'à lui. Je sens fortement que c'était un moyen pour lui d'attirer mon attention parce que non seulement les messages étaient extrêmement précis pour mon cheminement de guérison et pour moi mais ils étaient aussi acharnés. Je ne pouvais pas ignorer ses efforts pour communiquer. Cette série d'évènements a eu lieu sur une période de cinq jours. J'étais absolument convaincue que Wayne était présent et actif derrière le voile. Je me sentais privilégiée et j'étais immensément reconnaissante pour son amour divin et son dévouement à nous aider.

Wayne avait toujours aimé ce genre de choses – ces clins d'œil de l'univers, ces messages confirmant l'esprit en action ici sur Terre. Cela ne m'étonne pas qu'il joue activement un rôle dans leur manifestation à présent. Il le fait avec un sens du style et de l'humour de toute évidence bien à lui. Sa nature généreuse et grégaire est évidente dans son empressement à se manifester partout à travers le monde, partout où il peut être utile.

La plus grande leçon que j'ai apprise de ce processus de deuil est que la langue de l'esprit est l'amour. L'esprit communique par les sentiments d'amour, venant des êtres chers qui sont partis, des guides, des maîtres ascensionnés ou du Divin. Quand je suis en contact avec mon cœur et amoureuse dans mon cœur, je deviens plus consciente de la guidance à ma disposition.

Wayne, nous sommes bénis par tous tes enseignements terrestres et par ton amour céleste. Tu vivras à jamais dans nos cœurs. Je t'aime.

Merci, merci, merci.

NOTES

1. Âme. Le Petit Robert de la langue française, édition 2017.

2. En français dans le texte.

3. Candace B. Pert, *Molecules of Emotion: The Science Behind Mind-Body Medicine*, 1re édition, New York, Simon & Schuster, 1999, p. 185. Traduction libre.

4. *Ibid*, p.187.

5. McCraty, Rollin et Doc Childre, «*Coherence: Bridging Personal, Social, and Global Health*», *Alternative Therapies*, vol. 16, n° 4 (juillet-août 2010), p. 15. Traduction libre.

6. Viktor Frankl, *Découvrir un sens à sa vie avec la logothérapie*, Montréal, Les Éditions de l'Homme, 2013, p. 72-73.

7. David Simon, *Free to Love, Free to Heal: Heal Your Body by Healing Your Emotions*, 1re édition, Carlsbad (CA), Chopra Center Press, 2013. Traduction libre.

8. Prenez le temps de visiter le site Internet du télescope Hubble : les images qui ont été prises sont extraordinaires et très révélatrices (www.hubblesite.org).

9. Deepak Chopra, *Le livre des coïncidences*, Paris, J'ai Lu, p. 168-169.

10. Ram Dass, *Be Love Now: The Path of the Heart*, 1re édition, New York, Three Rivers Press, 2003, p. 215.

11. Ramtha, *Le livre blanc*, Varennes, Éditions Ada, 2003.

12. Brené Brown, *Dépasser la honte*, Paris, Guy Trédaniel, 2007, p. 27.

Remerciements

J'aimerais rendre hommage à l'équipe de personnes qui m'ont aidée à mettre ce livre au monde. Ma chère amie et ma toute première éditrice, Renée Hartleib, ton amour pour le processus d'écriture et ta foi dans ce livre m'ont encouragée à maintenir le cap. Merci pour ton amour indéfectible. Chaz Thorne, pour ton amitié et pour m'avoir aidée à trouver ma voix. Reid Tracy, pour m'avoir si chaleureusement accueillie dans la famille Hay House. Patty Gift, pour avoir piloté ce livre du début à la fin de son processus de publication. Lisa Cheng, éditrice extraordinaire chez Hay House, tu as « tout pigé » dès le début et tu as rendu cette aventure dans l'édition vraiment très amusante. Merci pour tout ton travail acharné. Finalement, Anita Moorjani, pour ta chaleureuse amitié et tes sages enseignements. Le monde est un meilleur endroit parce que tu fais briller ta lumière avec tant d'éclat.

À PROPOS DE L'AUTEURE

Anne Bérubé, Ph.D., est une enseignante spirituelle dédiée à aider les gens à se souvenir de l'appel de leur âme. Habile communicatrice, elle partage sa propre histoire afin d'accélérer le processus de transformation chez les autres. Elle a raffiné sa méthode *Sois, Ressens, Pense, Agis* par des ateliers qu'elle nomme Happy Sessions. Jusqu'ici, elle a aidé des milliers de personnes à ressentir une paix intérieure et une connexion à leur propre source de sagesse. Elle vit à Halifax, en Nouvelle-Écosse, avec son mari et leurs deux enfants.

MARQUIS

Québec, Canada

RECYCLÉ
Papier fait à partir
de matériaux recyclés
FSC® C103567

Imprimé sur du Rolland Enviro,
contenant 100% de fibres postconsommation,
fabriqué à partir d'énergie biogaz et certifié FSC®,
ÉCOLOGO, Procédé sans chlore et Garant des forêts intactes.

PERMANENT   100%   BIO GAZ ÉNERGIE   Garant des forêts intactes MC